원스톱 필기
피부미용사

대표저자/ 양일훈
공동저자/ 최윤정 이선영

/문/제/편/

YRM (주)영림미디어

원스톱 피부미용사 필기 2권 문제편

첫째판 1쇄 발행 2013. 3. 8
둘째판 1쇄 인쇄 2015. 4. 13
둘째판 1쇄 발행 2015. 4. 20

지 은 이 양일훈, 최윤정, 이선영
발 행 인 이혜미, 손상훈
편집 · 디자인 최서예

발행처 (주)영림미디어
주 소 (121-894) 서울 마포구 서교동 375-32 무해빌딩 2F
전 화 (02)6395-0045 / **팩 스** (02)6395-0046
등 록 제2012-000356호(2012.11.1)

이 도서의 국립중앙도서관 출판예정도서목록(CIP)은 서지정보유통지원시스템 홈페이지(http://seoji.nl.go.kr)와 국가자료공동목록시스템(http://www.nl.go.kr/kolisnet)에서 이용하실 수 있습니다.(CIP제어번호: CIP2015005446)

ISBN 979-11-85834-16-0(93590)(세트)
979-11-85834-17-7(93590)(요약)
979-11-85834-18-4(93590)(문제)

정가 28,000원

피부미용사

머리말

PREFACE

우리는 꿈을 가지고 새로운 일에 도전합니다.

그 새로운 일은 언제나 두렵지만 꿈이 있기에 모험을 감수하고 또 대단히 어려운 것이지만 꿈이 있기에 그것을 즐겁게 감내합니다. 그러면서 내 인생의 첫 걸음이든 다시 시작하는 재도약의 발판이든 나의 꿈을 위한 밑그림이 완성되어지고 좀 더 구체화 되어지는 것 같습니다.

피부미용사가 국가자격시험으로 이어지고 이에 환호하며 부지런히 준비해오는 동안 이 시험의 역사가 벌써 7년이라는 나이를 먹어갑니다. 피부미용인으로서의 기본적인 자질과 소양을 위한 우리의 노력이 국가의 제도와 함께 발맞추어 온 세월이 이처럼 빨리 지나가니 피부미용업계에서 30년 이상을 보내며 이 업계의 시작과 성장의 흐름을 모두 보아온 필자로서 가슴 찡한 감회를 느낍니다.

세월이 흐르며, 제도가 변하고 업계의 트렌드도 변하고, 또한 이 업계에 대한 소비자의 욕구 및 인식이 변하지만 정말 가장 기본적이고 기초가 되는 우리의 마인드와 자질은 절대로 변하지 않았고 또한 변하지 말아야 한다고 믿고 있기 때문에 그러한 마인드와 자질을 갖추고 피부미용업계에 입문하기 위한 수험생들에게 걸맞는 교재를 탄생시키기 위해 정말 많은 노력을 기울였습니다.

국가자격시험의 출제기준에 맞추어 피부미용학, 피부학, 해부생리학, 피부미용기기학, 화장품학, 공중위생관리학의 6과목에 대한 내용을 체계적으로 기술하고 시험출제가 예상되는 문제를 엄선하고 정리하여 수록하였으며 시시때때로 변화하는 내용이 있다면 그 모든 것을 놓치지 않도록 노력하였습니다. 그래서 이 교재가 피부미용 국가자격시험을 준비하는 수험생들에게 새로운 출발점에 설 수 있도록 하는 최고의 지침서가 될 것이라고 필자는 자신합니다.

끝으로, 이 교재를 만들기 위해 차가운 지성과 뜨거운 열정을 모두 쏟아 부어주신 오랜 피부미용강의와 업계전문경력자인 최윤정 교수와 이선영 교수에게 진심으로 경의와 감사를 드리고 우리와 함께 호흡을 맞추어 세상에서 가장 아름다운 수험서를 탄생시켜 주신 ㈜영림미디어의 이혜미대표님과 모든 임직원들께 깊은 감사를 드립니다.

여러분들의 영광스런 합격과 희망찬 출발을 함께 할 수 있어서 무한한 영광으로 생각합니다.

양일훈 에스테틱 아카데미

대표저자 이학박사 양일훈

저자소개

AUTHOR

대표저자 양일훈

건국대학교 자연대학원 응용생물화학과 이학박사
중국 요녕대학교 중의학 중의내과 박사과정
미국 Dr. Fulton Clinic Center 여드름전문과정
캐나다 퀘백 Dr. Renaud 피부관리전문과정
미국 달라스 성형외과 준의료 피부관리과정

現) 화장품전문가협회 협회장
現) 건국대학교 산업대학원 향장학과 외래교수
現) 성신여자대학교 문화산업대학원
　 피부비만관리학과 외래교수
現) 중앙대학교 의약식품대학원 향장미용학과 외래교수
現) 한국피부미용학원 총연합회 회장
現) 양일훈에스테틱 아카데미 대표원장
現) (주)양스아카데미 대표이사
前) 에스테틱클럽 양스(고품격테라피센터)원장
前) 김천과학대학 피부미용과 외래교수
前) 군장대학 피부미용과 외래교수
前) 동명정보대학원 뷰티디자인과 외래교수
前) 숙명여자대학교 사회교육대학원
　 피부미용&향장산업 최고경영자과정 외래교수
前) 서경대학교 미용예술대학원 미용예술학과 외래교수

저자 이선영

건국대학교 생물공학 박사
숙명여자대학교 향장미용학과 석사

現) CL메디시스 교육부장
前) 한서대학교 조교수
前) 바이오큐틴 spa점장
前) 삼육보건대학교 외래교수
前) 원광디지털대학교 외래교수
前) 양일훈 에스테틱 아카데미 인천(부평) 캠퍼스 원장
前) 안양과학 대학교 외래교수
前) 여주대학교 외래교수
前) 숙명여자대학교 사회교육원 외래교수
前) 군장대학교 외래교수
前) 태평양, 존슨앤존슨, 엘지생활건강,
　 나드리 등 사외강사

저자 최윤정

동양 대학교 경영대학원 경영학과 박사과정
서경대학교 경영대학원 미용경영학과 석사

現) 용인대학교 뷰티케어과 초빙교수
現) 삼육보건대학 피부미용과 외래교수
現) 경민대학교 뷰티케어과 외래교수
現) 서경대학교 미용예술학과(피부) 외래교수
現) 양일훈 에스테틱 아카데미 원장
前) 한서대학교 피부미용과 외래교수
前) 플러스 뷰티 아카데미 원장
前) 양일훈 에스테틱 아카데미 종로캠퍼스 원장
前) 양일훈 에스테틱 아카데미 인천(부평)
　 캠퍼스 원장
前) 양일훈 에스테틱 아카데미 강남본원 부원장
前) 미성 에스테틱 경영
前) 군장대학교 피부미용과 외래교수 역임
前) 여주대학교 뷰티디자인과 외래교수 역임

피부미용사

목차

CONTENTS

P·A·R·T 1 과년도기출문제 PREVIOUS TESTS

P·A·R·T 2 정답 및 해설 ANSWER

Previous Tests

P·A·R·T 1

과년도기출문제

피부미용사필기시험

2008년 제5회 시행

01 매뉴얼 테크닉을 적용할 수 있는 경우는?

가. 피부나 근육, 골격에 질병이 있는 경우
나. 골절상으로 인한 통증이 있는 경우
다. 염증성 질환이 있는 경우
라. 피부에 셀룰라이트(cellulite)가 있는 경우

02 피부 유형별 관리 방법으로 적합하지 않은 것은?

가. 복합성 피부 : 유분이 많은 부위는 손을 이용한 관리를 행하여 모공을 막고 있는 피지 등의 노폐물이 쉽게 나올 수 있도록 한다.
나. 모세혈관 확장피부 : 세안 시 세안제를 손에서 충분히 거품을 낸 후 미온수로 완전히 헹구어 내고 손을 이용한 관리를 부드럽게 진행한다.
다. 노화피부 : 피부가 건조해지지 않도록 수분과 영양을 공급하고 자외선 차단제를 바른다.
라. 색소침착피부 : 자외선 차단제를 색소가 침착된 부위에 집중적으로 발라준다.

03 민감성 피부의 화장품 사용에 대한 설명으로 틀린 것은?

가. 석고팩이나 피부에 자극이 되는 제품의 사용을 피한다.
나. 피부의 진정·보습효과가 뛰어난 제품을 사용한다.
다. 스크럽이 들어간 세안제를 사용하고 알코올 성분이 들어간 화장품을 사용한다.
라. 화장품 도포시 첩포시험(patch test)을 하여 적합성 여부를 확인 후 사용하는 것이 좋다.

04 홈케어 관리시에 여드름 피부에 대한 조언으로 맞지 않는 것은?

가. 여드름 전용 제품을 사용
나. 붉어지는 부위는 약간 진하게 파운데이션이나 파우더를 사용
다. 지나친 당분이나 지방섭취는 피함
라. 지나치게 얼굴이 당길 경우 수분크림, 에센스 사용

05 도포 후 온도가 40℃ 이상 올라가며, 노화 피부 및 건성피부에 필요한 영양흡수효과를 높이는데 가장 효과적인 마스크는?

가. 석고마스크 나. 콜라겐마스크
다. 머드마스크 라. 알긴산마스크

06 피부 유형과 화장품의 사용목적이 틀리게 연결된 것은?

가. 민감성 피부 : 진정 및 쿨링 효과
나. 여드름 피부 : 멜라닌 생성 억제 및 피부기능 활성화
다. 건성피부 : 피부에 유·수분을 공급하여 보습기능 활성화
라. 노화피부 : 주름완화, 결체조직 강화, 새로운 세포의 형성 촉진 및 피부보호

07 피부관리의 정의와 가장 거리가 먼 것은?

가. 안면 및 전신의 피부를 분석하고 관리하여 피부상태를 개선시키는 것
나. 얼굴과 전신의 상태를 유지 및 개선하여 근육과 골절을 정상화시키는 것
다. 피부미용사의 손과 화장품 및 적용 가능한 피부미용기기를 이용하여 관리하는 것
라. 의약품을 사용하지 않고 피부상태를 아름답고 건강하게 만드는 것

08 습포의 효과에 대한 내용과 가장 거리가 먼 것은?

가. 온습포는 모공을 확장시키는데 도움을 준다.
나. 온습포는 혈액순환촉진, 적절한 수분공급의 효과가 있다.
다. 냉습포는 모공을 수축시키며 피부를 진정시킨다.
라. 온습포는 팩 제거 후 사용하면 효과적이다.

09 민감성 피부관리의 마무리단계에 사용될 보습제로 적합한 성분이 아닌 것은?

가. 알란토인 나. 알부틴
다. 아줄렌 라. 알로에베라

10 왁스와 머절린(부직포)를 이용한 일시적 제모의 특징으로 가장 적합한 것은?

가. 제모하고자 하는 털을 한 번에 제거하여 즉각적인 결과를 가져온다.
나. 넓은 부분의 불필요한 털을 제거하기 위해서는 많은 비용이 든다.
다. 깨끗한 외관을 유지하기 위해서 반복 시술을 하지 않아도 된다.
라. 한번 시술을 하면 다시는 털이 나지 않는다.

11 **피부미용실에서 손님에 대한 피부관리의 과정 중 피부분석을 통한 고객카드 관리의 가장 바람직한 방법은?**

가. 개인의 피부상태는 변하지 않으므로 첫 회만 피부관리를 시작할 때 한 번만 피부분석을 해서 분석내용을 고객카드에 기록을 해두고 매 회 마다 활용한다.

나. 첫 회 피부관리를 시작할 때 한 번만 피부분석을 해서 분석 내용을 고객카드에 기록을 해두고 매 회 마다 활용을 하고 마지막 회에 다시 피부분석을 해서 좋아진 것을 고객에게 비교해 준다.

다. 첫 회 피부관리를 시작할 때 한 번 피부분석을 해서 분석 내용을 고객카드에 기록을 해두고 매 회마다 활용하고 중간에 한 번, 마지막 회에 다시 한 번 피부분석을 해서 좋아진 것을 고객에게 비교해 준다.

라. 개인의 피부유형 피부상태는 수시로 변화하므로 매 회마다 피부관리 전에 항상 피부분석을 해서 분석내용을 고객카드에 기록을 해두고 매 회 마다 활용한다.

12 **매뉴얼 테크닉을 이용한 관리 시 그 효과에 영향을 주는 요소와 거리가 먼 것은?**

가. 속도와 리듬

나. 피부결의 방향

다. 연결성

라. 다양하고 현란한 기교

13 **팩의 설명으로 옳은 것은?**

가. 파라핀 팩은 모세혈관확장 피부에 사용을 피한다.

나. Wash : Off 타입의 팩은 건조되어 얇은 피부에 사용을 피한다.

다. Pell : Off 타입의 팩은 도포 후 일정시간 지나 미온수로 닦아내는 형태의 팩이다.

라. 건성피부에 적용 시 도포하여 건조시키는 것이 효과적이다.

14 **딥 클렌징의 효과에 대한 설명이 아닌 것은?**

가. 피부표면을 매끈하게 한다.

나. 면포를 강화시킨다.

다. 혈색을 좋아지게 한다.

라. 불필요한 각질세포를 제거한다.

15 **포인트 메이크업 클렌징 과정 시 주의할 사항으로 틀린 것은?**

가. 콘택트렌즈를 뺀 후 시술한다.

나. 아이라인을 제거시 안에서 밖으로 닦아낸다.

다. 마스카라를 짙게 한 경우 강하게 자극하여 닦아낸다.

라. 입술화장을 제거시 윗입술은 위에서 아래로, 아랫입술은 아래에서 위로 닦는다.

16 딥 클렌징에 대한 설명으로 틀린 것은?

가. 스크럽 제품의 경우 여드름 피부나 염증부위에 사용하면 효과적이다.

나. 민감성 피부는 가급적 하지 않는 것이 좋다.

다. 효소를 이용할 경우 스티머가 없을 시 온습포를 적용할 수 있다.

라. 칙칙하고 각질이 두꺼운 피부에 효과적이다.

17 일반적인 클렌징에 해당되는 사항이 아닌 것은?

가. 색조화장 제거

나. 먼지 및 유분의 잔여물 제거

다. 메이크업 잔여물 및 피부표면의 노폐물 제거

라. 효소나 고마쥐를 이용한 깊은 단계의 묵은 각질제거

18 피부관리를 위해 실시하는 피부상담의 목적과 가장 거리가 먼 것은?

가. 고객의 방문 목적 확인

나. 피부문제의 원인 파악

다. 피부관리 계획 수립

라. 고객의 사생활 파악

19 피부의 노화 원인과 가장 관련이 없는 것은?

가. 노화 유전자와 세포 노화

나. 항산화제

다. 아미노산 라세미화

라. 텔로미어(telomere) 단축

20 진피에 자리하고 있으며 통증이 동반되고, 여드름 피부의 4단계에서 생성되는 것으로 치료 후 흉터가 남는 것은?

가. 가피　　나. 농포

다. 면포　　라. 낭종

21 피부의 주체를 이루는 층으로서 망상층과 유두층으로 구분되며 피부조직 외에 부속기관인 혈관, 신경관, 림프관, 땀샘, 기름샘, 모발과 입모근을 포함하고 있는 곳은?

가. 표피　　나. 진피

다. 근육　　라. 피하조직

22 기미에 대한 설명으로 틀린 것은?

가. 피부 내에 멜라닌이 합성되지 않아 야기되는 것이다.

나. 30~40대의 중년여성에게 잘 나타나고 재발이 잘 된다.

다. 썬탠기에 의해서도 기미가 생길 수 있다.

라. 경계가 명확한 갈색의 점으로 나타난다.

23 자외선에 대한 설명으로 틀린 것은?

가. 자외선 C는 오존층에 의해 차단될 수 있다.

나. 자외선 A의 파장은 320~400㎚이다.

다. 자외선 B는 유리에 의하여 차단할 수 있다.

라. 피부에 제일 깊게 침투하는 것은 자외선 B이다.

24 멜라닌 세포가 주로 분포되어 있는 곳은?

가. 투명층 나. 과립층
다. 각질층 라. 기저층

25 림프액의 기능과 가장 관계가 없는 것은?

가. 동맥기능의 보호 나. 항원반응
다. 면역반응 라. 체액이동

26 다음 비타민에 대한 설명 중 틀린 것은?

가. 비타민 A가 결핍되면 피부가 건조해지고 거칠어진다.
나. 비타민 C는 교원질 형성에 중요한 역할을 한다.
다. 레티노이드는 비타민 A를 통칭하는 용어이다.
라. 비타민 A는 많은 양이 피부에서 합성된다.

27 피부의 면역에 관한 설명으로 맞는 것은?

가. 세포성 면역에는 보체, 항체 등이 있다.
나. T 림프구는 항원전달세포에 해당한다.
다. B 림프구는 면역글로블린이라고 불리는 항체를 생성한다.
라. 표피에 존재하는 각질형성세포는 면역조절에 작용하지 않는다.

28 담즙을 만들며, 포도당을 글리코겐으로 저장하는 소화기관은?

가. 간 나. 위
다. 충수 라. 췌장

29 골격계의 기능이 아닌 것은?

가. 보호기능 나. 저장기능
다. 지지기능 라. 열생산기능

30 인체의 구성 요소 중 기능적, 구조적 최소 단위는?

가. 조직 나. 기관
다. 계통 라. 세포

31 두부의 근을 안면근과 저작근으로 나눌 때 안면근에 속하지 않는 근육은?

가. 안륜근 나. 후두전두근
다. 교근 라. 협근

32 근육에 짧은 간격으로 자극을 주면 연축이 합쳐져서 단일 수축보다 큰 힘과 지속적인 수축을 일으키는 근 수축은?

가. 강직(contraction) 나. 강축(tetanus)
다. 세동(fibrillation) 라. 긴장(tonus)

33 신경계에 관련된 설명이 옳게 연결된 것은?

가. 시냅스 : 신경조직의 최소단위

나. 축색돌기 : 수용기세포에서 자극을 받아 세포체에 전달

다. 수상돌기 : 단백질을 합성

라. 신경초 : 말초신경섬유의 재생에 중요한 부분

34 조직 사이에서 산소와 영양을 공급하고, 이산화탄소와 대사 노폐물이 교환되는 혈관은?

가. 동맥(artery)

나. 정맥(vein)

다. 모세혈관(capillary)

라. 림프관(lymphatic vessel)

35 스티머 활용시의 주의사항과 가장 거리가 먼 것은?

가. 오존을 사용하지 않는 스티머를 사용하는 경우는 아이패드를 하지 않아도 된다.

나. 스팀이 나오기 전 오존을 켜서 준비한다.

다. 상처가 있거나 일광에 손상된 피부에는 사용을 제한하는 것이 좋다.

라. 피부타입에 따라 스티머의 시간을 조정한다.

36 적외선등(infra red lamp)에 대한 설명으로 옳은 것은?

가. 주로 UVA를 방출하고 UVB, UVC는 흡수한다.

나. 색소침착을 일으킨다.

다. 주로 소독·멸균의 효과가 있다.

라. 온열작용을 통해 화장품의 흡수를 도와준다.

37 다음 중 열을 이용한 기기가 아닌 것은?

가. 진공흡입기　　나. 스티머

다. 파라핀 왁스기　　라. 왁스워머

38 브러싱에 관한 설명으로 틀린 것은?

가. 모세혈관 확장피부는 석고 재질의 브러싱이 권장된다.

나. 건성 및 민감성 피부의 경우는 회전속도를 느리게 해서 사용하는 것이 좋다.

다. 농포성 여드름 피부에는 사용하지 않아야 한다.

라. 브러싱은 피부에 부드러운 마찰을 주므로 혈액순환을 촉진시키는 효과가 있다.

39 전기에 대한 설명으로 틀린 것은?

가. 전류란 전도체를 따라 움직이는 (-)전하를 지닌 전자의 흐름이다.

나. 도체란 전류가 쉽게 흐르는 물질을 말한다.

다. 전류의 크기단위는 볼트(Volt)이다.

라. 전류에는 직류(D.C)와 교류(A.C)가 있다.

40 우드램프로 피부상태를 판단할 때 지성 피부는 어떤 색으로 나타나는가?

가. 푸른색 나. 흰색
다. 오렌지 라. 진보라

41 캐리어 오일 중 액체상 왁스에 속하고, 인체 피지와 지방산의 조성이 유사하여 피부 친화성이 좋으며, 다른 식물성 오일에 비해 쉽게 산화되지 않아 보존안정성이 높은 것은?

가. 아몬드 오일(almond oil)
나. 호호바 오일(jojoba oil)
다. 아보카도 오일(avocado oil)
라. 맥아 오일(wheat germ oil)

42 다음 중 피부상재균의 증식을 억제하는 항균기능을 가지고 있고, 발생한 체취를 억제하는 기능을 가진 것은?

가. 바디샴푸 나. 데오도란트
다. 샤워코롱 라. 오데토일렛

43 화장품을 만들 때 필요한 4대 조건은?

가. 안전성, 안정성, 사용성, 유효성
나. 안전성, 방부성, 방향성, 유효성
다. 발림성, 안정성, 방부성, 사용성
라. 방향성, 안전성, 발림성, 사용성

44 SPF에 대한 설명으로 틀린 것은?

가. Sun Protection Factor의 약자로써 자외선 차단지수라 불리어진다.
나. 엄밀히 말하자면 UV-B 방어효과를 나타내는 지수라고 볼 수 있다.
다. 오존층으로부터 자외선이 차단되는 정도를 알아보기 위한 목적으로 이용된다.
라. 자외선 차단제를 바른 피부가 최소의 홍반을 일어나게 하는데 필요한 자외선 양을, 바르지 않은 피부가 최소의 홍반을 일어나게 하는데 필요한 자외선 양으로 나눈 값이다.

45 다음 중 피부에 수분을 공급하는 보습제의 기능을 가지는 것은?

가. 계면활성제 나. 알파-히드록시산
다. 글리세린 라. 메틸파라벤

46 미백화장품의 매커니즘이 아닌 것은?

가. 자외선 차단
나. 도파(DOPA) 산화 억제
다. 티로시나제 활성화
라. 멜라닌합성 저해

47 계면활성제에 대한 설명으로 옳은 것은?

가. 계면활성제는 일반적으로 둥근 머리모양의 소수성기와 막대꼬리모양의 친수성기를 가진다.

나. 계면활성제의 피부에 대한 자극은 양쪽성 〉 양이온성 〉 음이온성 〉 비이온성의 순으로 감소한다.

다. 비이온성 계면활성제는 피부자극이 적어 화장수의 가용화제, 크림의 유화제, 클렌징 크림의 세정제 등에 사용된다.

라. 양이온성 계면활성제는 세정작용이 우수하여 비누, 샴푸 등에 사용된다.

48 법정 감염병 중 제3군 감염병에 속하는 것은?

가. 발진열 나. B형간염

다. 유행성이하선염 라. 세균성 이질

49 보건행정에 대한 설명으로 가장 올바른 것은?

가. 공중보건의 목적을 달성하기 위해 공공의 책임 하에 수행하는 행정활동

나. 개인보건의 목적을 달성하기 위해 공공의 책임 하에 수행하는 행정활동

다. 국가 간의 질병교류를 막기 위해 공공의 책임하에 수행하는 행정활동

라. 공중보건의 목적을 달성하기 위해 개인의 책임 하에 수행하는 행정활동

50 세균성 식중독이 소화기계 감염병과 다른 점은?

가. 균량이나 소독량이 소량이다.

나. 대체적으로 잠복기가 길다.

다. 연쇄전파에 의한 2차 감염이 드물다.

라. 원인식품 섭취와 무관하게 일어난다.

51 보건교육의 내용과 관계가 가장 먼 것은?

가. 생활환경위생 : 보건위생 관련내용

나. 성인병 및 노인병 질병 : 질병관련내용

다. 기호품 및 의약품의 외용·남용 : 건강관련 내용

라. 미용정보 및 최신기술 : 산업관련기술 내용

52 석탄산 소독액에 관한 설명으로 틀린 것은?

가. 기구류의 소독에는 1~3% 수용액이 적당하다.

나. 세균포자나 바이러스에 대해서는 작용력이 거의 없다.

다. 금속기구의 소독에는 적합하지 않다.

라. 소독액 온도가 낮을수록 효력이 높다.

53 다음 중 자비소독을 하기에 가장 적합한 것은?

가. 스테인레스 보울 나. 제모용 고무장갑

다. 플라스틱 스파튤라 라. 피부관리용 팩붓

54 다음 중 가장 강한 살균작용을 하는 광선은?

가. 자외선 나. 적외선
다. 가시광선 라. 원적외선

55 순도 100% 소독약 원액 2㎖에 증류수 98㎖를 혼합하여 100㎖의 소독약을 만들었다면 이 소독약의 농도는?

가. 2% 나. 3%
다. 5% 라. 98%

56 이·미용사의 면허증을 대여한 때의 1차 위반 행정처분 기준은?

가. 면허정지 3월 나. 면허정지 6월
다. 영업정지 3월 라. 영업정지 6월

57 다음 중 이·미용사 면허의 발급자는?

가. 시·도지사
나. 시장·군수·구청장
다. 보건복지가족부장관
라. 주소지를 관할하는 보건소장

58 공중위생관리법규상 공중위생영업자가 받아야 하는 위생교육시간은?

가. 매년 3시간 나. 매년 4시간
다. 2년마다 4시간 라. 2년마다 8시간

59 공중위생관리법령에 따른 과징금의 부과 및 납부에 관한 사항으로 틀린 것은?

가. 과징금을 부과하고자 할 때에는 위반행위의 종별과 해당 과징금의 금액을 명시하여 이를 납부할 것을 서면으로 통지하여야 한다.
나. 통지를 받은 자는 통지를 받은 날부터 20일 이내에 과징금을 납부해야 한다.
다. 과징금액이 클 때는 과징금의 2분의 1 범위에서 각각 분할 납부가 가능하다.
라. 과징금의 징수절차는 보건복지가족부령으로 정한다.

60 다음 중 공중위생 감시원이 될 수 없는 자는?

가. 위생사 또는 환경기가 2급 이상의 자격증이 있는 자
나. 3년 이상 공중위생 행정에 종사한 경력이 있는 자
다. 외국에서 공중위생감시원으로 활동한 경력이 있는 자
라. 고등교육법에 의한 대학에서 화학, 화공학, 위생학 분야를 전공하고 졸업한 자

피부미용사필기시험

2009년 제1회 시행

01 **피부유형별 화장품 사용방법으로 적합하지 않은 것은?**

가. 민감성 피부 : 무색, 무취, 무알콜 화장품 사용
나. 복합성 피부 : T존과 U존 부위별로 각각다른 화장품 사용
다. 건성피부 : 수분과 유분이 함유된 화장품 사용
라. 모세혈관 확장 피부 : 일주일에 2번 정도 딥 클렌징제 사용

02 **피부 분석시 사용되는 방법으로 가장 거리가 먼 것은?**

가. 고객 스스로 느끼는 피부 상태를 물어본다.
나. 스파튤라를 이용하여 피부에 자극을 주어 본다.
다. 세안 전에 우드 램프를 사용하여 측정한다.
라. 유·수분 분석기 등을 이용하여 피부를 분석한다.

03 **슬리밍 제품을 이용한 관리에서 최종 마무리 딘계에서 시행해야 하는 것은?**

가. 피부 노폐물을 제거한다.
나. 진정파우더를 바른다.
다. 메뉴얼 테크닉동작을 시행한다.
라. 슬리밍과 피부 유연제 성분을 피부에 흡수시킨다.

04 **메뉴얼 테크닉 기법 중 닥터 자켓법에 관한 설명으로 가장 적합한 것은?**

가. 디스인크러스테이션을 하기 위한 준비단계에 하는 것이다
나. 피지선의 활동을 억제한다.
다. 모낭 내 피지를 모공 밖으로 배출시킨다.
라. 여드름 피부를 클렌징 할 때 쓰는 기법이다.

05 **다음은 어떤 베이스 오일을 설명한 것인가?**

> 인간의 피지와 화학구조가 매우 유사한 오일로 피부염을 비롯하여 여드름, 습진, 건선피부에 안심하고 사용할 수 있으며 침투력과 보습력이 우수하여 일반 화장품에도 많이 함유되어 있다.

가. 호호바 오일
나. 스위트 아몬드 오일
다. 아보카도 오일
라. 그레이프 시드 오일

06 피부미용에 대한 설명으로 가장 거리가 먼 것은?

가. 피부를 청결하고 아름답게 가꾸어 건강하고 아름답게 변화시키는 과정이다.
나. 피부미용은 에스테틱, 스킨케어 등의 이름으로 불리고 있다.
다. 일반적으로 외국에서는 매니큐어, 페디큐어가 피부미용의 영역에 속한다.
라, 제품에 의존한 관리법이 주를 이룬다.

07 클렌징에 대한 설명이 아닌 것은?

가. 피부의 피지, 메이크업 잔여물을 없애기 위해서이다.
나. 모공 깊숙이 있는 불순물과 피부 표면의 각질의 제거를 주목적으로 한다.
다. 제품흡수를 효율적으로 도와준다.
라. 피부의 생리적인 기능을 정상으로 도와준다.

08 천연과일에서 추출한 필링제는?

가. AHA　　나. 락틱산(Lactic Acid)
다. TCA　　라. 페놀(Phenol)

09 건성피부(Dry skin)의 관리방법으로 틀린 것은?

가. 알칼리성 비누를 이용하여 뜨거운 물로 자주 세안을 한다.
나. 화장수는 알코올 함량이 적고 보습기능이 강화된 제품을 사용한다.
다. 클렌징 제품은 부드러운 밀크 타입이나 유분기가 있는 크림타입을 선택하여 사용한다.
라. 세라마이드, 호호바 오일, 아보카도 오일, 알로에베라, 히아루론산 등의 성분이 함유된 화장품을 사용한다.

10 피부관리 후 마무리 동작에서 수렴작용을 할 수 있는 가장 적합한 방법은?

가. 건타올을 이용한 마무리 관리
나. 미지근한 타올을 이용한 마무리 관리
다. 냉타올을 이용한 마무리 관리
라. 스팀타월을 이용한 마무리 관리

11 계절에 따른 피부 특성 분석으로 옳지 않은 것은?

가. 봄 : 자외선이 점차 강해지며 기미와 주근깨 등 색소 침착이 피부표면에 두드러지게 나타난다.
나. 여름 : 기온의 상승으로 혈액순환이 촉진되어 표피와 진피의 탄력이 증가된다.
다. 가을 : 기온의 변화가 심해 피지막의 상태가 불안정해진다.
라. 겨울 : 기온이 낮아져 피부의 혈액순환과 신진대사 기능이 둔화된다.

12 **딥 클렌징 시 스크럽 제품을 사용할 때 주의해야 할 사항 중 틀린 것은?**

가. 코튼이나 해면을 사용하여 닦아낼 때 알갱이가 남지 않도록 깨끗하게 닦아낸다.

나. 과각화된 피부, 모공이 큰 피부, 면포성 여드름 피부에는 적합하지 않다.

다. 눈이나 입 속으로 들어가지 않도록 조심한다.

라. 심한 핸드링을 피하며, 마사지 동작을 해서는 안된다.

13 **팩의 사용방법에 대한 내용 중 틀린 것은?**

가. 천연 팩은 흡수시간을 길게 유지할수록 효과적이다.

나. 팩의 진정 시간은 제품에 따라 다르나 일반적으로 10~20분 정도의 범위이다.

다. 팩을 사용하기 전 알레르기 유무를 확인한다.

라. 팩을 하는 동안 아이패드를 적용한다.

14 **다음 중 인체의 임파선을 통한 노폐물의 이동을 통해 해독작용을 도와주는 관리방법은?**

가. 반사요법　　나. 바디 랩

다. 향기요법　　라. 림프 드레나쥐

15 **메뉴얼 테크닉의 동작 중 부드럽게 스쳐가는 동작으로 처음과 마지막이나 연결동작으로 많이 사용하는 것은?**

가. 반죽하기　　나. 쓰다듬기

다. 두드리기　　라. 진동하기

16 **제모의 종류와 방법 중 옳은 것은?**

가. 일시적 제모는 면도, 가위를 이용한 커팅법, 화학적 제모, 전기침 탈모법이 있다

나. 영구적 제모는 전기 탈모법, 전기핀셋 탈모법, 탈색법이 있다

다. 제모 시 사용되는 왁스는 크게 콜드왁스와 웜왁스로 구분할 수 있다

라. 왁스를 이용한 제모법은 피부나 모낭 등에 화학적 해를 미치는 단점이 있다.

17 **마스크에 대한 설명 중 틀린 것은?**

가. 석고 : 석고와 물의 교반 작용 후 크리스탈 성분이 열을 발산하여 굳어진다.

나. 파라핀 : 열과 오일이 모공을 열어주고, 피부를 코팅하는 과정에서 발한 작용이 발생한다.

다. 젤라틴 : 중탕되어 녹여진 팩제를 온도 테스트 후 브러쉬로 바르는 예민 피부용 진정 팩이다.

라. 콜라겐 벨벳 : 천연 용해성 콜라겐의 침투가 이루어지도록 기포를 형성시켜 공기층의 순환이 되도록 한다.

18 **클렌징 시 주의해야 할 사항 중 틀린 것은?**

가. 클렌징 제품이 눈, 코, 입에 들어가지 않도록 주의한다.

나. 강하게 문질러 닦아준다.

다. 클렌징 제품 사용은 피부 타입에 따라 선택하여야 한다.

라. 눈과 입은 포인트 메이크업 리무버를 사용하는 것이 좋다.

19 아토피성 피부에 관계되는 설명으로 옳지 않은 것은?

가. 유전적 소인이 있다.
나. 가을이나 겨울에 더 심해진다.
다. 면직물의 의복을 착용하는 것이 좋다.
라. 소아습진과는 관계가 없다.

20 피지와 땀의 분비 저하로 유·수분의 균형이 정상적이지 못하고, 피부결이 얇으며 탄력 저하와 주름이 쉽게 형성되는 피부는?

가. 건성피부　　나. 지성피부
다. 이상피부　　라. 민감피부

21 피부 색소를 퇴색시키며 기미, 주근깨 등의 치료에 주로 쓰이는 것은?

가. 비타민A　　나. 비타민B
다. 비타민C　　라. 비타민D

22 성인의 경우 피부가 차지하는 비중은 체중의 약 몇 %인가?

가. 5~7%　　나. 15~17%
다. 25~27%　　라. 35~37%

23 여드름 발생의 주요 원인과 가장 거리가 먼 것은?

가. 아포크린 한선의 분비증가
나. 모낭 내 이상 각화
다. 여드름 균의 군락 형성
라. 염증반응

24 피부노화현상으로 옳은 것은?

가. 피부노화가 진행되어도 진피의 두께는 그래도 유지된다.
나. 광노화에서는 내인성 노화와 달리 표피가 얇아지는 것이 특징이다.
다. 피부 노화에는 나이에 따른 과정으로 일어나는 광노화와 누적된 햇빛노출에 의하여 야기되기도 한다.
라. 내인성 노화보다는 광노화에서 표피두께가 두꺼워진다.

25 다음 중 표피층을 순서대로 나열한 것은?

가. 각질층, 유극층, 투명층, 과립층, 기저층
나. 각질층, 유극층, 망상층, 기저층, 과립층
다. 각질층, 과립층, 유극층, 투명층, 기저층
라. 각질층, 투명층, 과립층, 유극층, 기저층

26 다음 중 멜라닌 세포에 관한 설명으로 틀린 것은?

가. 멜라닌의 기능은 자외선으로부터의 보호작용이다.

나. 과립층에 위치한다.

다. 색소제조 세포이다.

라. 자외선을 받으면 왕성하게 활성한다.

27 다음 중 원발진이 아닌 것은?

가. 구진　　나. 농포

다. 반흔　　라. 종양

28 혈액의 기능이 아닌 것은?

가. 조직에 산소를 운반하고 이산화탄소를 제거한다.

나. 조직에 영양을 공급하고 대사 노폐물을 제거한다.

다. 체내의 유분을 조절하고 ph를 낮춘다.

라. 호르몬이나 기타 세포 분비물을 필요한 곳으로 운반한다.

29 다음 중 뼈의 기능으로 맞는 것을 모두 나열한 것은?

A. 지지	B. 보호
C. 조혈	D. 운동

가. A, C　　나. B, D

다. A, B, C　　라. A, B, C, D

30 세포에 대한 설명으로 틀린 것은?

가. 생명체의 구조 및 기능적 기본 단위이다.

나. 세포는 핵과 근원섬유로 이루어져 있다.

다. 세포 내에는 핵이 핵막에 의해 둘러싸여있다.

라. 기능이나 소속된 조직에 따라 원형, 아메바, 타원 등 다양한 모양을 하고 있다.

31 다음 중 위팔을 올리거나 내릴 때 또는 바깥쪽으로 돌릴 때 사용되는 근육의 명칭은?

가. 승모근　　나. 흉쇄유돌근

다. 대둔근　　라. 비복근

32 다음 중 소화기계가 아닌 것은?

가. 폐, 신장　　나. 간, 담

다. 비장, 위　　라. 소장, 대장

33 다음 중 웃을 때 사용하는 근육이 아닌 것은?

가. 안륜근 나. 구륜근
다. 대협골근 라. 전거근

34 골격근에 대한 설명으로 맞는 것은?

가. 뼈에 부착되어 있으며 근육이 횡문과 단백질로 구성되어 있고, 수의적 활동이 가능하다.
나. 골격근은 일반적으로 내장벽을 형성하여 위와 방광 등의 장기를 둘러싸고 있다.
다. 골격근은 줄무늬가 보이지 않아서 민무늬근이라고 한다.
라. 골격근은 움직임, 자세유지, 관절안정을 주며 불수의근이다.

35 이온에 대한 설명으로 틀린 것은?

가. 원자가 전자를 얻거나 잃으면 전하를 띠게 되는데 이온은 이 전하를 띤 입자를 말한다.
나. 같은 전하의 이온은 끌어당긴다.
다. 중성인 원자가 전자를 얻으면 음이온이라 불리는 음전하를 띤 이온이 된다.
라. 이온은 원소기호의 오른쪽 위에 있거나 얻은 전자수를 + 또는 - 부호를 붙인다.

36 브러시(brush, 프리마돌) 사용법으로 옳지 않은 것은?

가. 회전하는 브러시를 피부와 45° 각도로 하여 사용한다.
나. 피부상태에 따라 브러시의 회전 속도를 조절한다.
다. 화농성 여드름 피부와 모세혈관 확장 피부 등은 사용을 피하는 것이 좋다.
라. 브러시 사용 후 중성 세제로 세척한다.

37 스티머기기의 사용방법으로 적합하지 않은 것은?

가. 증기분출 전에 분사구를 고객의 얼굴로 향하도록 미리 준비해 놓는다.
나. 일반적으로 얼굴과 분사구와의 거리는 30~40cm 정도로 하고 민감성 피부의 경우 거리를 좀 더 멀게 위치한다.
다. 유리병 속에 세제나 오일이 들어가지 않도록 한다.
라. 수분이 없이 오존만을 쐬여주지 않도록 한다.

38 수분측정기로 표피의 수분 함유량을 측정하고자 할 때 고려해야 하는 내용이 아닌 것은?

가. 온도는 20~22℃에서 측정하여야 한다.
나. 직사광선이나 직접조명 아래에서 측정한다.
다. 운동 직후에는 휴식을 취한 후 측정하도록 한다.
라. 습도는 40~60%가 적당하다.

39 디스인크러스테이션에 대한 설명 중 틀린 것은?

가. 화학적인 전기분해에 기초를 두고 있으며 직류가 식염수를 통과할 때 발생하는 화학작용을 이용한다.

나. 모공에 있는 피지를 분해하는 작용을 한다.

다. 지성과 여드름 피부 관리에 적합하게 사용될 수 있다.

라. 양극봉은 활동 전극봉이며 박리관리를 위하여 안면에 사용된다.

40 눈으로 판별하기 어려운 피부의 심층상태 및 문제점을 명확하게 분별할 수 있는, 특수 자외선을 이용한 기기는?

가. 확대경　　나. 홍반측정기

다. 적외선램프　　라. 우드램프

41 핸드케어제품 중 사용할 때 물을 사용하지 않고 직접 바르는 것으로 피부 청결 및 소독효과를 위해 사용하는 것은?

가. 핸드워시　　나. 핸드새니타이저

다. 비누　　라. 핸드로션

42 크림 파운데이션에 대한 설명 중 알맞은 것은?

가. 얼굴의 형태를 바꾸어 준다.

나. 피부의 잡티나 결점을 커버해 주는 목적으로 사용된다.

다. O/W 형은 W/O형에 비해 비교적 사용감이 무겁고 퍼짐성이 낮다.

라. 화장시 산뜻하고 청량감이 있으나 커버력이 약하다.

43 땀의 분비로 인한 냄새와 세균의 증식을 억제하기 위해 주로 겨드랑이 부위에 사용하는 것은?

가. 데오도란트 로션　　나. 핸드로션

다. 보디 로션　　라. 파우더

44 다음 중 물에 오일성분이 혼합되어 있는 유화 상태는?

가. O/W 에멀젼　　나. W/O 에멀젼

다. W/S 에멀젼　　라. W/O/W 에멀젼

45 아로마테라피에 사용되는 아로마 오일에 대한 설명 중 가장 거리가 먼 것은?

가. 아로마테라피에 사용되는 아로마 오일은 주로 수증기증류법에 의해 추출된 것이다.
나. 아로마 오일은 공기 중의 산소, 빛 등에 의해 변질될 수 있으므로 갈색병에 보관하여 사용하는 것이 좋다.
다. 아로마 오일은 원액을 그대로 피부에 사용해야 한다.
라. 아로마 오일을 사용할 때에는 안전성 확보를 위하여 사전에 패취 테스트를 실시하여야 한다.

46 자외선 차단제에 대한 설명 중 틀린 것은?

가. 자외선 차단제의 구성성분은 크게 자외선 산란제와 자외선 흡수제로 구분된다.
나. 자외선 차단제 중 자외선 산란제는 투명하고, 자외선 흡수제는 불투명한 것이 특징이다.
다. 자외선 산란제는 물리적인 산란작용을 이용한 제품이다.
라. 자외선 흡수제는 화학적인 흡수작용을 이용한 제품이다.

47 다음 중 기능성 화장품의 범위에 해당하지 않는 것은?

가. 미백크림　　나. 바디오일
다. 자외선차단 크림　　라. 주름개선 크림

48 상수의 수질오염 분석 시 대표적인 생물학적 지표로 이용되는 것은?

가. 대장균　　나. 살모넬라균
다. 장티푸스균　　라. 포도상구균

49 자연능동면역 중 감염면역만 형성되는 감염병은?

가. 두창, 홍역　　나. 일본뇌염, 폴리오
다. 매독, 임질　　라. 디프테리아, 폐렴

50 발열증상이 가장 심한 식중독은?

가. 살로넬라 식중독
나. 웰치균 식중독
다. 복어중독
라. 포도상구균 식중독

51 다음 중 가장 대표적인 보건 수준 평가기준으로 사용되는 것은?

가. 성인사망률　　나. 영아사망률
다. 노인사망률　　라. 사인별사망률

52 소독약의 사용 및 보존상의 주의점으로서 틀린 것은?

가. 일반적으로 소독약은 밀폐시켜 일광이 직사되지 않는 곳에 보존해야 한다.

나. 모든 소독약은 사용할 때 마다 반드시 새로이 만들어 사용하여야 한다.

다. 승홍이나 석탄산 같은 것은 인체에 유해하므로 특별히 주의 취급하여야 한다.

라. 염소제는 일광과 열에 의해 분해되지 않도록 냉암소에 보존하는 것이 좋다.

53 소독장비 사용시 주의해야 할 사항 중 옳은 것은?

가. 건열 멸균기 : 멸균된 물건을 소독기에서 꺼낸 즉시 냉각시켜야 살균효과가 크다.

나. 자비 소독기 : 금속성 기구들은 물이 끓기 전부터 넣고 끓인다.

다. 간헐 멸균기 : 가열과 가열 사이에 20℃ 이상의 온도를 유지한다.

라. 자외선 소독기 : 날이 예리한 기구 소독시 타올 등으로 싸서 넣는다.

54 고압증기 멸균법에 있어 20IBS, 126.5C의 상태에서 몇 분간 처리하는 것이 가장 좋은가?

가. 5분　　나. 15분

다. 30분　　라. 60분

55 이·미용업소에서 수건 소독에 가장 많이 사용되는 물리적 소독법은?

가. 석탄산 소독

나. 알코올 소독

다. 자비소독

라. 과산화수소소독

56 공중위생관리법 상 이·미용 업소의 조명 기준은?

가. 50룩스 이상

나. 75룩스 이상

다. 100룩스 이상

라. 125룩스 이상

57 공중위생관리법상 위생서비스 수준의 평가에 대한 설명 중 맞는 것은?

가. 평가의 전문성을 높이기 위하여 필요하다고 인정하는 경우에는 관련 전문기관 및 단체로 하여금 위생서비스 평가를 실시하게 할 수 있다.

나. 평가주기는 3년마다 실시한다.

다. 평가주기와 방법, 위생관리등급은 대통령령으로 정한다.

라. 위생관리 등급은 2개 등급으로 나뉜다.

58 이·미용업 영업자가 공중위생관리법을 위반하여 관계행정기관의 장의 요청이 있는 때에는 몇월 이내의 기간을 정하여 영업의 정지 또는 일부 시설의 사용 중지 혹은 영업소 폐쇄 등을 명할 수 있는가?

가. 3월　　나. 6월
다. 1년　　라. 2년

59 행정처분 대상자 중 중요처분 대상자에게 청문을 실시할 수 있다. 그 청문대상이 아닌 것은?

가. 면허정지 및 면허취소
나. 영업정지
다. 영업소 폐쇄 명령
라. 자격증 취소

60 다음 중 (　　)안에 가장 적합한 것은?

> 공중위생관리법상 '미용업'의 정의는 손님의 얼굴, 머리, 피부 등을 손질하여 손님의 (　　)를(을) 아름답게 꾸미는 영업이다.

가. 모습　　나. 외양
다. 외모　　라. 신체

피부미용사 필기시험

2009년 제2회 시행

01 제모시술 중 올바른 방법이 아닌 것은?

가. 시술자의 손을 소독한다.

나. 머절린(부직포)을 떼어낼 때 털이 자란 방향으로 떼어낸다.

다. 스파츌라에 왁스를 묻힌 후 손목 안쪽에 온도 테스트를 한다.

라. 소독 후 시술부위에 남아 있을 유·수분을 정리하기 위하여 파우더를 사용한다.

02 물의 수압을 이용해 혈액순환을 촉진시켜 체내의 독소배출, 세포재생 등의 효과를 증진시킬 수 있는 건강증진 방법은?

가. 아로마테라피(aroma-therapy)

나. 스파테라피(spa-therapy)

다. 스톤테라피(stone-therapy)

라. 허벌테라피(hebal-therapy)

03 다음 중 필링의 대상이 아닌 것은?

가. 모세혈관 확장피부

나. 모공이 넓은 지성피부

다. 일반 여드름피부

라. 잔주름이 많은 건성피부

04 신체 부위별 관리의 효과를 극대화시키기 위한 방법과 가장 거리가 먼 것은?

가. 배농을 돕기 위해 따뜻한 차를 마시게 한다.

나. 온 타월을 사용하여 고객의 몸을 이완시켜준다.

다. 시원한 물을 마시게 하여 고객을 안정시킨다.

라. 편안한 환경을 만들어 고객이 심리적 안정감을 갖도록 한다.

05 제모 관리에서 왁스 제모법의 장점이 아닌 것은?

가. 신체의 광범위한 부위를 짧은 시간 내에 효과적으로 제거할 수 있다.

나. 털을 닳게 하여 제거하는 방법이므로 통증이 적다.

다. 다른 일시적 제모제보다 제모 효과가 4~5주 정도 오래 지속된다.

라. 피부나 모낭 등에 화학적 해를 미치지 않는다.

06 **매뉴얼 테크닉의 기본 동작에 대한 설명으로 틀린 것은?**

가. 에플라쥐(effleyrage) : 손 바닥을 이용해 부드럽게 쓰다듬는 동작
나. 프릭션(friction) : 근육을 횡단하듯 반죽하는 동작
다. 타포트먼트(tapotrment) : 손가락을 이용하여 두드리는 동작
라. 바이브레이션(vibration) : 손전체나 손가락에 힘을 주어 고른 진동을 주는 동작

07 **글리콜산이나 젖산을 이용하여 각질층에 침투 시키는 방법으로 각질세포의 응집력을 약화시키며 자연 탈피를 유도시키는 필링제는?**

가. phenol　　나. TCA
다. AHA　　라. BP

08 **피부 관리 시 마무리 동작에 대한 설명 중 틀린 것은?**

가. 장시간동안의 피부 관리로 인해 긴장된 근육의 이완을 도와 고객의 만족을 최대로 향상시킨다.
나. 피부타입에 적당한 화장수로 피부결을 일정하게 한다.
다. 피부타입에 적당한 앰플, 에센스, 아이크림, 자외선 차단제 등을 피부에 차례로 흡수시킨다.
라. 딥 클렌징제를 사용한 다음 화장수로만 가볍게 마무리 관리해주어야 자극을 최소화 할 수 있다.

09 **다음에서 설명하는 팩(마스크)의 재료는?**

열을 내서 혈액순환을 촉진시키고 또한 피부를 완전 밀폐시켜 팩(마스크)도포 전에 바르는 앰플과 영양액 및 영양크림의 성분이 피부 깊숙이 흡수되어 피부개선에 효과를 준다.

가. 해초　　나. 석고
다. 꿀　　라. 아로마

10 **표피수분부족 피부의 특징이 아닌 것은?**

가. 연령에 관계없이 발생한다.
나. 피부조직에 표피성 잔주름이 형성된다.
다. 피부 당김이 진피(내부)에서 심하게 느껴진다.
라. 피부조직이 별로 얇게 보이지 않는다.

11 **입술 화장을 제거하는 방법으로 가장 적합한 것은?**

가. 클렌저를 묻힌 화장솜으로 입술 바깥쪽에서 안쪽으로 닦아준다.
나. 클렌저를 묻힌 화장솜으로 입술 안쪽에서 바깥쪽으로 닦아준다.
다. 클렌저를 묻힌 면봉으로 닦아준다.
라. 클렌저를 묻힌 화장솜으로 입술을 안쪽에서 바깥쪽으로 닦아준다.

12 화장수의 작용이 아닌 것은?

가. 피부에 남은 클렌징 잔여물 제거 작용
나. 피부의 pH 밸런스 조절 작용
다. 피부에 집중적인 영양공급 작용
라. 피부 진정 또는 쿨링 작용

13 팩 중 아줄렌 팩의 주된 효과는?

가. 진정효과　　나. 탄력효과
다. 항산화효과　　라. 미백효과

14 피부미용의 기능이 아닌 것은?

가. 피부보호　　나. 피부문제 개선
다. 피부질환 치료　　라. 심리적 안정

15 클렌징의 목적과 가장 거리가 먼 것은?

가. 청결과 위생　　나. 혈액순환 촉진
다. 트리트먼트의 준비　　라. 유효성분 침투

16 여드름 피부에 직접 사용하기에 가장 좋은 아로마는?

가. 유칼립투스　　나. 로즈마리
다. 페파민트　　라. 티트리

17 매뉴얼 테크닉 시술 시 주의해야 할 사항이 아닌 것은?

가. 피부미용사는 손의 온도를 따뜻하게 하여 고객이 차갑게 느끼지 않도록 한다.
나. 처음과 마지막 동작은 주무르기 방법으로 부드럽게 시술한다.
다. 동작마다 일정한 리듬을 유지하면서 정확한 속도를 지키도록 한다.
라. 피부타입과 피부상태의 필요성에 따라 동작을 조절한다.

18 피부미용의 관점에서 딥 클렌징의 목적이 아닌 것은?

가. 영양물질의 흡수를 용이하게 한다.
나. 피지와 각질층의 일부를 제거한다.
다. 피부유형에 따라 주 1~2회 정도 실시한다.
라. 화학적 화상을 유발하여 피부세포 재생을 촉진한다.

19 성인이 하루에 분비하는 피지의 양은?

가. 약 1~2g　　나 약 0.1~0.2g
다. 약 3~5g　　라. 약 5~8g

20 피부구조에 대한 설명 중 틀린 것은?

가. 피부는 표피, 진피, 피하지방층의 3개 층으로 구성된다.

나. 표피는 일반적으로 내측으로부터 기저층, 투명층, 유극층, 과립층 및 각질층의 5층으로 나뉜다.

다. 멜라닌 세포는 표피의 유극층에 산재한다.

라. 멜라닌 세포 수는 민족과 피부색에 관계없이 일정하다.

21 각 비타민의 효능 설명 중 옳은 것은?

가. 비타민 E : 아스코르빈산의 유도체로 사용되며 미백제로 이용된다.

나. 비타민 A : 혈액순환 촉진과 피부 청정효과가 우수하다.

다. 비타민 P : 바이오플라보노이드(bioflavonoid)라고도 하며 모세혈관을 강화하는 효과가 있다.

라. 비타민 B : 세포 및 결합조직의 조기노화를 예방한다.

22 지성피부에 대한 설명 중 틀린 것은?

가. 지성피부는 정상피부보다 피지분비량이 많다.

나. 피부결이 섬세하지만 피부가 얇고 붉은색이 많다.

다. 지성피부가 생기는 원인은 남성호르몬의 안드로겐(androgen)이나 여성호르몬인 프로게스테론(progesterone)의 기능이 활발해져서 생긴다.

라. 지성피부의 관리는 피지제거 및 세정을 주목적으로 한다.

23 피부의 각질층에 존재하는 세포간지질 중 가장 많이 함유된 것은?

가. 세라마이드(ceramide)

나. 콜레스테롤(cholesterol)

다. 스쿠알렌(squalene)

라. 왁스(wax)

24 사춘기 이후에 주로 분비가 되며, 모공을 통하여 분비되어 독특한 채취를 발생시키는 것은?

가. 소한선 나. 대한선

다. 피지선 라. 갑상선

25 콜라겐(collagen)에 대한 설명으로 틀린 것은?

가. 노화된 피부에는 콜라겐 함량이 낮다.

나. 콜라겐이 부족하면 주름이 발생하기 쉽다.

다. 콜라겐은 피부의 표피에 주로 존재한다.

라. 콜라겐은 섬유아세포에서 생성된다.

26 광노화의 반응과 가장 거리가 먼 것은?

가. 거칠어짐 나. 건조

다. 과색소침착증 라. 모세혈관 수축

27 피부 표피 중 가장 두꺼운 층은?

가. 각질층　　나. 유극층
다. 과립층　　라. 기저층

28 평활근에 대한 설명 중 틀린 것은?

가. 근원섬유에는 가로무늬가 없다.
나. 운동신경의 분포가 없는 대신 자율신경이 분포되어 있다.
다. 수축은 서서히 그리고 느리게 지속된다.
라. 신경을 절단하면 자동적으로 움직일 수 없다.

29 혈액의 기능으로 틀린 것은?

가. 호르몬 분비작용
나. 노폐물 배설작용
다. 산소와 이산화탄소의 운반작용
라. 삼투압과 산, 염기 평형의 조절작용

30 췌장에서 분비되는 단백질 분해효소는?

가. 펩신(pepsin)
나. 트립신(trypsin)
다. 리파아제(lipase)
라. 펩티디아제(peptidase)

31 다음 보기의 사항에 해당되는 신경은?

- 제7뇌신경이다.
- 안면 근육 운동
- 혀 앞 2/3 미각담당
- 뇌신경 중 하나

가. 3차신경　　나. 설인신경
다. 안면신경　　라. 부신경

32 골과 골 사이의 충격을 흡수하는 결합조직은?

가. 섬유　　나. 연골
다. 관절　　라. 조직

33 인체의 각 주요 호르몬의 기능 저하에 따라 나타나는 현상으로 틀린 것은?

가. 부신피질자극호르몬(ACTH) : 갑상선 기능저하
나. 난포자극호르몬(FSH) : 불임
다. 인슐린(Insulin) : 당뇨
라. 에스트로겐(Estrogen) : 무월경

34 세포 내에서 호흡생리를 담당하고 이화작용과 동화작용에 의해 에너지를 생산하는 곳은?

가. 리소좀　　나. 염색체
다. 소포체　　라. 미토콘드리아

35 진동브러쉬(Frimator)의 효과가 아닌 것은?

가. 앰플침투 나. 클렌징
다. 필링 라. 딥 클렌징

36 전류의 설명으로 옳은 것은?

가. 양(+)전자들이 양(+)극을 향해 흐르는 것이다.
나. 음(-)전자들이 음(-)극을 향해 흐르는 것이다.
다. 전자들이 전도체를 따라 한 방향으로 흐르는 것이다.
라. 전자들이 양극(+)방향과 음극(-)방향을 번갈아 흐르는 것이다.

37 적외선 미용기기를 사용할 때의 주의사항으로 옳은 것은?

가. 램프와 고객과의 거리는 최대한 가까이한다.
나. 자외선 적용 전 단계에 사용하지 않는다.
다. 최대흡수 효과를 위해 해당부위와 램프가 직각이 되도록 한다.
라. 간단한 금속류를 제외한 나머지 장신구는 허용되지 않는다.

38 증기연무기(Steamer)를 사용할 때 얻는 효과와 가장 거리가 먼 것은?

가. 따뜻한 연무는 모공을 열어 각질제거를 돕는다.
나. 혈관을 확장시켜 혈액 순환을 촉진시킨다.
다. 세포의 신진대사를 증가시킨다.
라. 마사지크림 위에 증기 연무를 사용하면 유효성분의 침투가 촉진된다.

39 갈바닉 전류 중 음극(−)을 이용한 것으로 제품을 피부 속으로 스며들게 하기 위해 사용하는 것은?

가. 아나포레시스(anaphoresis)
나. 에피더마브레이션(epidermabrassion)
다. 카다포레시스(cataphoresis)
라. 전기 마스크(electronis mask)

40 디스인크러스테이션(disincrustation)을 가급적 피해야 할 피부유형은?

가. 중성피부 나. 지성피부
다. 노화피부 라. 건성피부

41 세정작용과 기포형성작용이 우수하여 비누, 샴푸, 클렌징 폼 등에 주로 사용되는 계면활성제는?

가. 양이온성 계면활성제
나. 음이온성 계면활성제
다. 비이온성 계면활성제
라. 양쪽성 계면활성제

42 **자외선 차단제에 대한 설명으로 옳은 것은?**

가. 일광의 노출 전에 바르는 것이 효과적이다.

나. 피부 병변에 있는 부위에 사용하여도 무관하다

다. 사용 후 시간이 경과하여도 다시 덧바르지 않는다.

라. SPF지수가 높을수록 민감한 피부에 적합하다.

43 **다음의 설명에 해당되는 천연향의 추출방법은?**

> 식물의 향기부분을 물에 담가 가온하여 증발된 기체를 냉각하면 물 위에 향기 물질이 뜨게 되는데 이것을 분리하여 순수한 천연향을 얻어내는 방법이다. 이는 대량으로 천연향을 얻어낼 수 있는 장점이 있으나 고온에서 일부 향기성분이 파괴 될 수 있는 단점이 있다.

가. 수증기 증류법

나. 압착법

다. 휘발성 용매 추출법

라. 비휘발성 용매 추출법

44 **화장품의 4대 요건에 해당되지 않는 것은?**

가. 안전성　　나. 안정성

다. 사용성　　라. 보호성

45 **기능성 화장품에 대한 설명으로 옳은 것은?**

가. 자외선에 의해 피부가 심하게 그을리거나 일광화상이 생기는 것을 지연해 준다.

나. 피부 표면에 더러움이나 노폐물을 제거하여 피부를 청결하게 해 준다.

다. 피부표면의 건조를 방지해주고 피부를 매끄럽게 한다.

라. 비누세안에 의해 손상된 피부의 pH를 정상적인 상태로 빨리 되돌아오게 한다.

46 **바디샴푸에 요구되는 기능과 가장 거리가 먼 것은?**

가. 피부 각질층 세포간지질 보호

나. 부드럽고 치밀한 기포 부여

다. 높은 기포 지속성 유지

라. 강력한 세정성 부여

47 **다음 중 향수의 부향률이 높은 것부터 순서대로 나열된 것은?**

가. 퍼퓸 〉 오데퍼퓸 〉 오데코롱 〉 오데토일렛

나. 퍼퓸 〉 오데토일렛 〉 오데코롱 〉 오데퍼퓸

다. 퍼퓸 〉 오데퍼퓸 〉 오데토일렛 〉 오데코롱

라. 퍼퓸 〉 오데코롱 〉 오데퍼퓸 〉 오데토일렛

48 식중독에 관한 설명으로 옳은 것은?

가. 세균성 식중독 중 치사율이 가장 낮은 것은 보톨리누스 식중독이다.

나. 테트로도톡신은 감자에 다량 함유되어 있다.

다. 식중독은 급격한 발생률, 지역과 무관한 동시에 다발성의 특성이 있다.

라. 식중독은 원인에 따라 세균성, 화학물질, 자연독, 곰팡이독으로 분류된다.

49 공중보건학의 개념과 가장 관계가 적은 것은?

가. 지역주민의 수명 연장에 관한 연구

나. 감염병 예방에 관한 연구

다. 성인병 치료기술에 관한 연구

라. 육체적 정신적 효율 증진에 관한 연구

50 보건행정의 제 원리에 관한 것으로 맞는 것은?

가. 일반행정원리의 관리과정적 특성과 기획과정은 적용되지 않는다.

나. 의사결정과정에서 미래를 예측하고 행동하기 전의 행동계획을 결정한다.

다. 보건행정에서는 생태학이나 역학적 고찰이 필요없다.

라. 보건행정은 공중보건학에 기초한 과학적 기술이 필요하다.

51 다음 중 같은 병원체에 의하여 발생하는 인수공통 감염병은?

가. 천연두　　　나. 콜레라

다. 디프테리아　　　라. 공수병

52 혈청이나 약제, 백신 등 열에 불안정한 액체의 멸균에 주로 이용되는 멸균법은?

가. 초음파멸균법　　　나. 방사선멸균법

다. 초단파멸균법　　　라. 여과멸균법

53 고압증기멸균기의 소독대상물로 적합하지 않은 것은?

가. 금속성기구　　　나. 의류

다. 분말제품　　　라. 약액

54 멸균의 의미로 가장 적합한 표현은?

가. 병원균의 발육, 증식억제 상태

나. 체내에 침입하여 발육 증식하는 상태

다. 세균의 독성만을 파괴한 상태

라. 아포를 포함한 모든 균을 사멸시킨 무균상태

55 석탄산의 90배 희석액과 어느 소독약의 180배 희석액이 같은 조건하에서 같은 소독효과가 있었다면 이 소독약의 석탄산 계수는?

가. 0.50 나. 0.05
다. 2.00 라. 20.0

56 과태료에 대한 설명 중 틀린 것은?

가. 과태료는 관할 시장·군수·구청장이 부과 징수한다.
나. 과태료처분에 불복이 있는 자는 그 처분을 고지 받은 날부터 30일 이내에 처분권자에게 이의를 제기할 수 있다.
다. 기간 내에 이의를 제기하지 아니하고 과태료를 납부하지 아니한 때에는 지방세체납처분의 예에 의하여 과태료를 징수한다.
라. 과태료에 대하여 이의제기가 있을 경우 청문을 실시한다.

57 이·미용사 영업자의 지위를 승계 받을 수 있는 자의 자격은?

가. 자격증이 있는 자
나. 면허를 소지한 자
다. 보조원으로 있는 자
라. 상속권이 있는 자

58 미용업자가 점빼기, 귓볼뚫기, 쌍커풀수술, 문신, 박피술 그 밖에 이와 유사한 의료행위를 하여 관련법규를 1차 위반했을 때의 행정처분은?

가. 경고 나. 영업정지 2월
다. 영업장 폐쇄명령 라. 면허취소

59 미용업 영업자가 영업소 폐쇄 명령을 받고도 계속하여 영업을 하는 때에 시장·군수·구청장이 관계 공무원으로 하여금 당해 영업소를 폐쇄하기 위하여 조치를 하게 할 수 있는 사항에 해당되지 않는 것은?

가. 출입자 검문 및 통제
나. 영업소의 간판 기타 영업표지물의 제거
다. 위법한 영업소임을 알리는 게시물 등의 부착
라. 영업을 위하여 필수불가결한 기구 또는 시설물을 사용할 수 없게 하는 봉인

60 공중위생관리법상(　　) 속에 가장 적합한 것은?

> 공중위생관리법은 공중이 이용하는 영업과 시설의 (　　)등에 관한 사항을 규정함으로써 위생수준을 향상시켜 국민의 건강증진에 기여함을 목적으로 한다.

가. 위생 나. 위생관리
다. 위생과 소독 라. 위생과 청결

피부미용사 필기시험

2009년 제4회 시행

01 필오프 타입 마스크의 특징이 아닌 것은?

가. 젤 또는 액체 형태의 수용성으로 바른 후 건조 되면서 필름막을 형성한다.
나. 볼부위는 영양분 흡수를 위해 두껍게 바른다.
다. 팩 제거 시 피지나 죽은 각질 세포가 함께 제거됨으로 피부 청정효과를 준다.
라. 일주일에 1~2회 사용한다.

02 매뉴얼 테크닉의 기본 동작중 하나의 쓰다듬기에 대한 내용과 가장 거리가 먼 것은?

가. 매뉴얼 테크닉의 처음과 끝에 주로 이용된다.
나. 혈액과 림프의 순환을 도모한다.
다. 자율신경계에 영향을 미쳐 피부에 휴식을 준다.
라. 피부에 탄력성을 증가 시킨다.

03 모세혈관 확장 피부에 효과적인 성분이 아닌 것은?

가. 루틴　　나. 아줄렌
다. 알로에　　라. A.H.A

04 다음의 설명에 가장 적합한 팩은?

> 효과 : 피부타입에 따라 다양하게 사용되며 유화상태 이므로 사용감이 부드럽고 침투가 쉽다
> 사용방법 및 주의사항 : 사용량만큼 필요한 부위에 바르고 필요에 따라 호일, 랩, 적외선 램프 사용

가. 크림팩　　나. 벨벳(시트)팩
다. 분말팩　　라. 석고팩

05 피부유형별 적용 화장품 성분이 맞게 짝지어진 것은?

가. 건성피부 : 클로로필, 위치하젤
나. 지성피부 : 콜라겐, 레티놀
다. 여드름 피부 : 아보카도오일, 올리브오일
라. 민감성 피부 : 아줄렌, 비타민 B5

06 온습포의 작용으로 볼 수 없는 것은?

가. 모공을 수축 시키는 작용이 있다.
나. 혈액순환을 촉진시키는 작용이 있다.
다. 피지분비선을 자극시키는 작용이 있다.
라. 피부조직에 영양공급이 원활이 될 수 있도록 작용한다.

07 딥 클렌징의 효과 및 목적과 가장 거리가 먼 것은?

가. 다음 단계의 유효성분 흡수율을 높여준다.
나. 모공 깊숙이 있는 피지와 각질제거를 목적으로 한다.
다. 피지가 모낭 입구 밖으로 원활하게 나오도록 해준다.
라. 효과적인 주름 관리가 되도록 한다.

08 다음 중 세정력이 우수하며, 지성, 여드름 피부에 가장 적합한 제품은?

가. 클렌징 젤　　나. 클렌징 오일
다. 클렌징 크림　　라. 클렌징 밀크

09 제모의 설명으로 틀린 것은?

가. 왁싱을 이용한 제모는 얼굴이나 다리의 털을 제거 하는데 적합하며 모근까지 제거되기 때문에 보통 4~5주 정도 지속된다.
나. 제모 적용 부위를 사전에 깨끗이 씻고, 소독한다.
다. 제모 후에 진정제품을 피부 표면에 발라준다.
라. 왁스를 바른 후 떼어 낼 때는 아프지 않게 천천히 떼어내는 것이 좋다.

10 클렌징 제품의 올바른 선택 조건이 아닌 것은?

가. 클렌징이 잘 되어야 한다.
나. 피부의 산성막을 손상 시키지 않는 제품이어야 한다.
다. 피부유형에 따라 적절한 제품을 선택해야 한다.
라. 충분하게 거품이 일어나는 제품을 선택해야 한다.

11 피부관리 후 피부미용사가 마무리해야 할 사항과 가장 거리가 먼 것은?

가. 피부관리 기록 카드에 관리내용과 사용화장품에 대해 기록한다.
나. 고객이 집에서 자가관리를 잘 하도록 홈케어에 대해서도 기록하여 추후 참고자료로 활용한다.
다. 반드시 메이크업을 해준다.
라. 피부이용 관리가 마무리되면 베드와 주변을 청결하게 정리한다.

12 지성 피부의 특징으로 맞는 것은?

가. 모세혈관이 약화되거나 확장되어 피부표면이 보인다.
나. 피지분비가 왕성하여 피부 번들거림이 심하며 피부결이 곱지 못하다.
다. 표피가 얇고 피부표면이 항상 건조하고 잔주름이 쉽게 생긴다.
라. 표피가 얇고 투명해 보이며 외부 자극에 쉽게 붉어진다.

13 손가락이나 손바닥으로 연속적인 쓰다듬기 동작을 하는 매뉴얼 테크닉 방법은?

가. 프릭션(friction)
나. 페트리사지(petrissage)
다. 에플러라지(effleurage)
라. 러빙(rubbing)

14 다음 중 스크럽 성분의 딥 클렌징을 피하는 것이 가장 좋은 피부는?

가. 모공이 넓은 지성피부
나. 모세혈관이 확장되고 민감한 피부
다. 정상피부
라. 지성 우세 복합성 피부

15 바디 랩에 관한 설명으로 틀린 것은?

가. 비닐을 감쌀 때는 타이트하게 꽉 조이도록 한다.
나. 수증기나 드라이 히트는 몸을 따뜻하게 하기 위해서 사용되기도 한다.
다. 보통 사용되는 제품은 앨쥐, 허브, 슬리밍 크림 등이다.
라. 이 요법은 독소제거나 노폐물의 배출증진, 순환 증진을 위해서 사용된다.

16 피부미용의 개념에 대한 설명으로 가장 거리가 먼 것은?

가. 피부미용이란 내·외적 요인으로 인한 미용상의 문제를 물리적이나 화학적 방법을 이용하여 예방하는 것이다.
나. 피부의 생리기능을 자극함으로써 아름답고 건강한 피부를 유지하고 관리하는 미용기술을 말한다.
다. 피부미용은 과학적 지식을 바탕으로 다양한 미용적인 관리를 행하므로 하나의 과학이라 말 할 수 있다.
라. 과학적인 지식과 기술을 바탕으로 미의 본질과 형태를 다룬다는 의미는 있으나 예술이라고는 할 수 없다.

17 왁스를 이용한 제모의 부적용증과 가장 거리가 먼 것은?

가. 신부전　　나. 정맥류
다. 당뇨병　　라. 과민한 피부

18 건성피부, 중성피부, 지성피부를 구분하는 가장 기본적인 피부유형 분석기준은?

가. 피부의 조직상태
나. 피지분비 상태
다. 모공의 크기
라. 피부의 탄력도

19 자외선의 영향으로 인한 부정적인 효과는?

가. 홍반반응 나. 비타민D의 형성
다. 살균효과 라. 강장효과

20 땀의 분비가 감소하고 갑상선 기능의 저하, 신경계 질환의 원인이 되는 것은?

가. 다한증 나. 소한증
다. 무한증 라. 액취증

21 장기간에 걸쳐 반복하여 긁거나 비벼서 표피가 건조하고 가죽처럼 두꺼워진 상태는?

가. 가피 나. 낭종
다. 태선화 라. 반흔

22 화상의 구분 중 홍반, 부종, 통증뿐만 아니라 수포를 형성하는 것은?

가. 제1도화상 나. 제2도화상
다. 제3도화상 라. 중급화상

23 원주형의 세포가 단층으로 이어져 있으며 각질형성세포와 색소형성세포가 존재하는 피부층은?

가. 기저층 나. 투명층
다. 각질층 라.유극층

24 피부에 피지가 하는 작용과 관계가 가장 먼 것은?

가. 수분증발억제 나. 살균작용
다. 열 발산방지작용 라. 유화작용

25 각화유리질과립(keratohyaline)은 피부 표피의 어떤 층에 주로 존재하는가?

가. 과립층 나. 유극층
다. 기저층 라. 투명층

26 다음 중 진피의 구성세포는?

가. 멜라닌 세포 나. 랑게르한스세포
다. 섬유아세포 라. 머켈세포

27 기미·주근깨 피부관리에 가장 적합한 비타민은?

가. 비타민A 나. 비타민B1
다. 비타민B2 라. 비타민C

28 안륜근의 설명으로 맞는 것은?

가. 빰의 벽에 위치하며 수축하면 빰이 안으로 들어가서 구강 내압을 높인다.

나. 눈꺼풀의 피하조직에 있으면서 눈을 감거나 깜박거릴 때 이용된다.

다. 구각을 외 상방으로 끌어 당겨서 웃는 표정을 만든다.

라. 교근 근막의 표층으로부터 입 꼬리 부분에 뻗어 있는 근육이다.

29 근육의 기능에 따른 분류에서 서로 반대되는 작용을 하는 근육을 무엇이라 하는가?

가. 길항근　　나. 신근

다. 반건양근　　라. 협력근

30 골격근의 기능이 아닌 것은?

가. 수의적 운동　　나. 자세유지

다. 체중의 지탱　　라. 조혈작용

31 원형질막을 통한 물질의 이동과정에 관한 설명중 틀린 것은?

가. 확산은 물질 자체의 운동 에너지에 의해 저농도에서 고농도로 물질이 이동하는 것이다.

나. 포도당은 보조없이 원형질막을 통과할 수 없으며 단백질과 결합하여 세포 안으로 들어가는 것을 촉진 확산한다.

다. 삼투 현상은 높은 물 농도에서 낮은 물 농도로 물 분자만이 선택적으로 투과하는 것을 말한다.

라. 여과는 높은 압력이 낮은 압력이 있는 곳으로 이동하는 압력 경사에 의해 이루어지는 것이다.

32 척주(vertebral column)에 대한 설명이 아닌 것은?

가. 머리와 몸통을 움직일수 있게 한다.

나. 성인의 척주를 옆에서 보면 4개의 만곡이 존재한다.

다. 경추5개, 흉추11개, 요추7개, 천골1개, 미골2개로 구성된다.

라. 척수를 뼈로 감싸면서 보호한다.

33 안면이 피부와 저작근에 존재하는 감각신경과 운동신경의 혼합신경으로 뇌신경 중 가장 큰 것은?

가. 시신경　　나. 삼차신경

다. 안면신경　　라. 미주신경

34 림프의 주된 기능은?

가. 분비작용 나. 면역작용
다. 체절보호작용 라. 체온 조절 작용

35 피부를 분석 시 고객과 관리사가 동시에 피부상태를 보면서 분석하기에 가장 적합한 피부분석 기기는?

가. 확대경 나. 우드램프
다. 브러싱 라. 스킨스코프

36 바이브레이터기의 올바른 사용법이 아닌 것은?

가. 기기관리도중 지속성이 끊어지지 않게 한다.
나. 압력을 최대한 주어 효과를 극대화시킨다.
다. 항상 깨끗한 헤드를 사용하도록 유의한다.
라. 관리도중 신체손상이 발생하지 않도록 헤드 부분을 잘 고정한다.

37 갈바닉 전류에서 음극의 효과는?

가. 진정효과 나. 통증감소
다. 알카리성반응 라. 혈관수축

38 직류와 교류에 대한 설명으로 옳은 것은?

가. 교류를 갈바닉 전류라고도 한다.
나. 교류전류에서 평류, 단속 평류가 있다.
다. 직류는 전류의 흐르는 방향과 시간의 흐름에 따라 변하지 않는다.
라. 직류전류에는 정현파, 감응, 격동전류가 있다.

39 다음 보기와 같은 내용은 어떠한 타입의 피부관리 중점사항인가?

> 피부의 완벽한 클렌징과 긴장완화, 보호, 진정, 안정 및 냉(cooling)효과를 목적으로 기기관리가 이루어져야 한다.

가. 건성피부 나. 지성피부
다. 복합성피부 라. 민감성 피부

40 고주파 직접법의 주효과에 해당하는 것은?

가. 수렴효과 나. 피부강화
다. 살균효과 라. 자극효과

41 아로마 오일을 피부에 효과적으로 침투시키기 위해 사용하는 식물성 오일은?

가. 에센셜 오일 나. 캐리어 오일
다. 트렌스 오일 라. 미네랄 오일

42 메이크업 화장품 중에서 안료가 균일하게 분산되어 있는 형태로 O/W형 유화 타입이며, 투명감 있게 마무리 되므로 피부에 결점이 별로 없는 경우에 사용하는 것은?

가. 트윈케이크　나. 스킨커버
다. 리퀴드 파운데이션　라. 크림파운데이션

43 여드름 피부용 화장품에 사용되는 성분과 가장 거리가 먼 것은?

가. 살리실산　나. 글리시리진산
다. 아쥴렌　라. 알부틴

44 각질제거용 화장품에 주로 쓰이는 것으로 죽은 각질을 빨리 떨어져 나가게 하고 건강한 세포가 피부를 구성할수 있도록 도와주는 성분은?

가. 알파 히드록시산　나. 알파토코페롤
다. 라이코펜　라. 리포좀

45 아로마 오일에 대한 설명으로 가장 적절한 것은?

가. 수증기 증류법에 의해 얻어진 아로마 오일이 주로 사용되고 있다.
나. 아로마 오일은 공기 중 산소나 빛에 안정하기 때문에 주로 투명용기에 보관하여 사용한다.
다. 아로마 오일은 주로 향기식물의 줄기나 뿌리 위에서만 추출된다.
라. 아로마 오일은 주로 베이스노트이다.

46 화장품의 분류에 관한 설명 중 틀린 것은?

가. 마사지 크림은 기초화장품에 속한다.
나. 샴푸, 헤어린스는 모발용 화장품이다.
다. 퍼퓸(perfum), 오데코롱(eau de colonge)은 방향 화장품에 속한다.
라. 페이스파우더는 기초화장품에 속한다.

47 유아용 제품과 저자극성 제품에 많이 사용되는 계면 활성제에 대한 설명 중 옳은 것은?

가. 물에 용해될 때, 친수기에 양이온과 음이온을 동시에 갖는 계면활성제
나. 물에 용해될 때, 이온으로 해리되지 않는 수산기, 에테르결합, 에스테르 등을 분자 중에 갖고 있는 계면 활성제
다. 물에 용해될 때, 친수기 부분이 음이온으로 해리되는 계면활성제
라. 물에 용해될 때, 친수기 부분이 양이온으로 해리되는 계면활성제

48 감염병예방방법 중 제1군 감염병에 해당되는 것은?

가. 백일해　나. 공수병
다. 세균성 이질　라. 홍역

49 다음 중 오염된 주사기, 면도날 등으로 인해 감염이 잘 되는 만성 감염병은?

가. 렙토스피라　나. 트라코마
다. 간염　라. 파라티푸스

50 공중보건에 대한 설명으로 가장 적절한 것은?

가. 개인을 대상으로 한다.
나. 예방의학을 대상으로 한다.
다. 집단 또는 지역사회를 대상으로 한다.
라. 사회의학을 대상으로 한다.

51 독소형 식중독의 원인균은?

가. 황색포도상구균 나. 장티푸스균
다. 돈 콜레라균 라. 장염균

52 다음 중 아포를 형성하는 세균에 대한 가장 좋은 소독법은?

가. 적외선 소독 나. 자외선 소독
다. 고압증기멸균 소독 라. 알콜소독

53 여러가지 물리화학적 방법으로 병원성 미생물을 가능한 제거하여 사람에게 감염의 위험이 없도록 하는 것은?

가. 멸균 나. 소독
다. 방부 라. 살충

54 소독약이 고체인 경우 1% 수용액이란?

가. 소독약 0.1g을 물 100ml에 녹인 것
나. 소독약 1g을 물 100ml에 녹인 것
다. 소독약 10g을 물 100ml에 녹인 것
라. 소독약 10g을 물 990ml에 녹인 것

55 호기성 세균이 아닌 것은?

가. 결핵균 나. 백일해균
다. 가스괴저균 라. 녹농균

56 갑이라는 미용업 영업자가 처음으로 손님에게 윤락행위를 제공하다가 적발되었다. 이 경우 어떠한 행정처분을 받는가?

가. 영업정지 2월 및 면허정지 2월
나. 영업장 폐쇄명령 및 면허 취소
다. 향후 1년간 영업장 폐쇄
라. 업주에게 경고와 함께 행정처분

57 보건복지부장관은 공중위생관리법에 의한 권한의 일부를 무엇이 정하는 바에 의해 시 도지사에게 위임할 수 있는가?

가. 대통령령
나. 보건복지부령
다. 공중위생관리법시행규칙
라. 행정안전부령

58 면허의 정지명령을 받은 자는 그 면허증을 누구에게 제출해야 하는가?

가. 보건복지부장관

나. 시·도지사

다. 시장·군수·구청장

라. 이·미용사 중앙회장

59 이·미용업의 준수사항으로 틀린 것은?

가. 소독을 한 기구와 하지 않은 기구는 각각 다른 용기에 보관하여야 한다.

나. 간단한 피부미용을 위한 의료기구 및 의약품은 사용하여도 된다.

다. 영업장의 조명도는 75룩스 이상 되도록 한다.

라. 점빼기, 쌍꺼풀 수술 등의 의료행위를 하여서는 안 된다.

60 이·미용업을 승계할 수 있는 경우가 아닌 것은? (단, 면허를 소지한 자에 한함)

가. 이·미용업을 양수한 경우

나. 이·미용영업자의 사망에 의한 상속에 의한 경우

다. 공중위생관리법에 의한 영업장 폐쇄명령을 받은 경우

라. 이·미용영업자의 파산에 의해 시설 및 설비의 전부를 인수한 경우

피부미용사필기시험

2009년 제5회 시행

01 클렌징 시술 준비과정의 유의사항과 가장 거리가 먼 것은?

가. 고객에게 가운을 입히고 고객이 액서서리를 제거 하여 보관하게 한다.

나. 터번은 귀가 겹쳐지지 않게 조심한다.

다. 깨끗한 시트와 중간 타월로 준비된 침대에 눕힌 다음 큰 타올이나 담요로 덮어준다.

라. 터번이 흘러내리지 않도록 핀셋으로 다시 고정시킨다.

02 지성 피부를 위한 피부관리 방법은?

가. 토너는 알코올 함량이 적고 보습기능이 강화된 제품을 사용한다.

나. 클렌저는 유분기 있는 클렌징 크림을 선택하여 사용한다.

다. 동·식물지방 성분이 함유된 음식을 많이 섭취한다.

라. 클렌징 로션이나 산뜻한 느낌의 클렌징 젤을 이용하여 메이크업을 지운다.

03 고객이 처음 내방 하였을 때 피부관리에 대한 첫 상담과정에서 고객이 얻는 효과와 가장 거리가 먼 것은?

가. 전단계의 피부관리 방법을 배우게 된다.

나. 피부관리에 대한 지식을 얻게 된다.

다. 피부관리에 대한 경계심이 풀어지며 심리적으로 안정된다.

라. 피부관리에 대하여 긍정적이고 적극적인 생각을 가지게 된다.

04 왁스 시술에 대한 내용 중 옳은 것은?

가. 제모하기 적당한 털의 길이는 2cm이다.

나. 온왁스의 경우 왁스는 제모 실시 직전에 데운다.

다. 왁스를 바른 뒤에 머절이(부직포)은 수직으로 세워 떼어낸다.

라. 남아있는 왁스의 끈적임은 왁스 제거용 리무버로 제거한다.

05 눈썹이나 겨드랑이 등과 같은 연약한 피부의 제모에 사용하며, 부직포를 사용하지 않고 체모를 제거할 수 있는 왁스제모 방법은?

가. 소프트 왁스법　　나. 콜드왁스법
다. 물왁스법　　라. 하드왁스법

06 워시오프 타입의 팩이 아닌 것은?

가. 크림 팩　　나. 거품 팩
다. 클레이 팩　　라. 젤라틴 팩

07 아래 설명과 가장 가까운 피부타입은?

- 모공이 넓다.
- 뽀루지가 잘 난다.
- 정상피부보다 두껍다.
- 블랙헤드가 생성되기 쉽다.

가. 지성피부　　나. 민감피부
다. 건성피부　　라. 정상피부

08 피부미용의 개념에 대한 설명 중 틀린 것은?

가. 피부미용이라는 명칭은 독일의 미학자 바움가르텐에 의해 처음 사용되었다.
나. cosmetic이란 용어는 독일어의 Kosmetin에서 유래되었다.
다. Esthetique안 용어는 화장품과 피부관리를 구별하기 위해 사용된 것이다.
라. 피부미용이라는 의미로 사용되는 용어는 각 나라마다 다양하게 지칭되고 있다.

09 피부관리 시술 단계가 옳은 것은?

가. 클렌징 - 피부분석 - 딥 클렌징 - 매뉴얼 테크닉 - 팩 - 마무리
나. 피부분석 - 클렌징 - 딥 클렌징 - 매뉴얼테크닉 - 팩 - 마무리
다. 피부분석 - 클렌징 - 매뉴얼 테크닉 - 딥 클렌징 - 팩 - 마무리
라. 클렌징 - 딥 클렌징 - 팩 - 매뉴얼 테크닉 - 마무리 - 피부분석

10 습포에 대한 설명으로 맞는 것은?

가. 피부미용 관리에서 냉습포는 사용하지 않는다.
나. 해면을 사용하기 전에 습포를 우선 사용한다.
다. 냉습포는 피부를 긴장 시키며 진정효과를 위해 사용한다.
라. 온습포는 피부미용 관리의 마무리 단계에서 피부 수렴효과를 위해 사용한다.

11 다음 중 눈 주위에 가장 적합한 매뉴얼 테크닉의 방법은?

가. 문지르기 나. 주무르기
다. 흔들기 라. 쓰다듬기

12 딥 클렌징의 효과에 대한 설명으로 틀린 것은?

가. 면포를 연화시킨다.
나. 피부표면을 매끈하게 해주고 혈색을 맑게 한다.
다. 클렌징의 효과가 있으며 피부의 불필요한 각질세포를 제거한다.
라. 혈액순환을 촉진시키고 피부조직에 영양을 공급한다.

13 매뉴얼 테크닉의 주의 사항이 아닌 것은?

가. 동작은 피부결 방향으로 한다.
나. 청결하게 하기 위해서 찬물에 손을 깨끗이 씻은 후 바로 마사지 한다.
다. 시술자의 손톱은 짧아야 한다.
라. 일광으로 붉어진 피부나 상처가 난 피부는 매뉴얼 테크닉을 피한다.

14 관리방법 중 수요법(water therapy, hydrotherapy) 시 지켜야 할 수칙이 아닌 것은?

가. 식사직후에 행한다.
나. 수요법은 대개 5분에서 30분까지가 적당하다.
다. 수요법 전은 잠깐 쉬도록 한다.
라. 수요법 후에는 쥬스나 향을 첨가한 물이나 이온 음료를 마시도록 한다.

15 딥 클렌징 방법이 아닌 것은?

가. 디스인크러스테이션
나. 효소필링
다. 브러싱
라. 이온토포레시스

16 피부관리 시 매뉴얼 테크닉을 하는 목적과 가장 거리가 먼 것은?

가. 정신적인 스트레스의 경감
나. 혈액순환 촉진
다. 신진대사활성화
라. 부종 감소

17 콜라겐 벨벳 마스크는 어떤 타입이 주로 사용되는가?

가. 시트 타입 나. 크림 타입
다. 파우더 타입 라. 겔 타입

18 셀룰라이트 관리에서 중점적으로 행해야 할 관리방법은?

가. 근육의 운동을 촉진시키는 관리를 집중적으로 행한다.
나. 림프순환을 촉진시키는 관리를 한다.
다. 피지가 모공을 막고 있으므로 피지배출 관리를 집중적으로 행한다.
라. 한선이 막혀 있으므로 한선관리를 집중적으로 행한다.

19 원주형의 세포가 단층으로 이어져 있으며 각질형성세포와 색소형성 세포가 존재하는 피부세포층은?

가. 기저층　　나. 투명층
다. 각질층　　라. 유극층

20 산소 라디칼 방어에서 가장 중심적인 역할을 하는 효소는?

가. FDA　　나. SOD
다. AHA　　라. NMF

21 다음 중 피부의 기능이 아닌 것은?

가. 보호작용　　나. 체온조절작용
다. 감각작용　　라. 순환작용

22 내인성노화가 진행될 때, 감소현상을 나타내는 것은?

가. 각질층 두께　　나. 주름
다. 피부처짐 현상　　라. 랑게르한스 세포

23 다음 중 주름살이 생기는 요인으로 가장 거리가 먼 것은?

가. 수분이 부족상태
나. 지나치게 햇빛에 노출되었을 때
다. 갑자기 살이 찐 경우
라. 과도한 안면운동

24 콜레스테롤의 대사 및 해독작용과 스테로이드 호르몬의 합성과 관계있는 무과립 세포는?

가. 조면형질내세망　　나. 골면형질내세망
다. 용해소체　　라. 골기체

25 다음 내용과 가장 관계있는 것은?

- 곰팡이균에 의하여 발생한다.
- 피부껍질이 벗겨진다.
- 가려움증이 동반된다.
- 주로 손과 발에서 번식한다.

가. 농가진　　나. 무좀
다. 홍반　　라. 사마귀

26 아포크린선한선의 설명으로 틀린 것은?

가. 아포크린한선의 냄새는 여성보다 남성에게 강하게 나타난다.
나. 땀의 산도가 붕괴되면 심한 냄새를 동반한다.
다. 겨드랑이, 대음순, 배꼽주변에 존재한다.
라. 인종적으로 흑인이 가장 많이 분비한다.

27 다음 중 가장 이상적인 피부의 PH범위는?

가. pH 3.5~4.5　　나. pH 5.2~5.8
다. pH 6.5~7.2　　라. pH 7.5~8.2

28 성장기에 있어 뼈의 길이 성장이 일어나는 곳을 무엇이라 하는가?

가. 상지골　　나. 두개골
다. 연골상골　　라. 골단연골

29 섭취된 음료물 중의 영양물질을 산화시켜 인체에 필요한 에너지를 생성해 내는 세포소기관은?

가. 리보소옴　　나. 리소조옴
다. 골지체　　라. 미토콘트리아

30 자율신경의 지배를 받은 민무늬근은?

가. 골격근　　나. 심근
다. 평활근　　라. 승모근

31 인체 내의 화학 물질중 근육의 수축에 주로 관여하는 것은?

가. 액틴과 미오신
나. 단백질과 칼슘
다. 남성호르몬
라. 비타민과 미네랄

32 혈관의 구조에 관한 설명 중 옳지 않은 것은?

가. 동맥은 3층 구조이며 혈관벽에 정맥에 비해 두껍다.
나. 동맥은 중막인 평활근층이 발달해 있다.
다. 정맥은 3층 구조이며 혈관벽이 얇으며 판막이 발달해 있다.
라. 모세혈관은 3층 구조이며 혈관벽이 얇다.

33 소화선(소화샘)으로써 소화액을 분비하는 동시에 호르몬을 분비하는 혼합선(내·외분비선)에 해당되는 것은?

가. 타액선　　나. 간
다. 담낭　　라. 췌장

34 신경계의 기본세포는 ?

가. 혈액　　나. 뉴우런
다. 미토콘트리아　　라. DNA

35 고주파 피부미용기기의 사용방법 중 간접법에 대한 설명으로 옳은 것은?

가. 고객의 얼굴에 적합한 크림을 바르고 그 위에 전극봉으로 마사지 한다.

나. 고객의 손에 전극봉을 잡게 한 후 관리사가 고객의 얼굴에 적합한 크림을 바르고 손으로 마사지 한다.

다. 고객의 얼굴에 마른거즈를 올린 후 그 위를 전극봉으로 마사지한다.

라. 고객의 손에 전극봉을 잡게 한 후 얼굴에 마른거즈를 올리고 손으로 눌러준다.

36 피지, 면포가 있는 피부부위의 우드램프의 반응 색상은?

가. 청백색　나. 진보라색

다. 암갈색　라. 오렌지색

37 칼라테라피가 기기에서 빨강색광의 효과와 가장 거리가 먼 것은?

가. 혈액순환증진, 세포의 활성화, 세포재생활동

나. 소화기기계 기능강화, 신경자극, 신체정화작용

다. 지루성 여드름, 혈액순환 불량 피부관리

라. 근조직 이완, 셀룰라이트 개선

38 클렌징이나 딥 클렌징 단계에서 사용하는 기기와 가장 거리가 먼 것은?

가. 베포라이저　나. 브러싱 머신

다. 진공흡입기　라. 확대경

39 전류에 대한 내용이 틀린 것은?

가. 전하량의 단위는 클롱으로 1클롱은 도선이 1V의 전압이 걸렸을 때 1초 동안 이동하는 전하의 양이다.

나. 교류전류란 전류흐름의 방향이 시간에 따라 주기적으로 변하는 전류이다.

다. 전류의 세기는 도선이 단면을 1초 동안 흘러간 전하의 양으로서 단위는 A(암페어)이다.

라. 직류 전동기는 속도조절이 자유롭다.

40 이온에 대한 설명으로 옳지 않은 것은?

가. 양전하 또는 음전하를 지닌 원자를 말한다.

나. 증류수는 이온수에 속한다.

다. 원소가 전자를 잃어 양이온이 되고, 전자를 얻어 음이온이 된다.

라. 양이온과 음이온의 결합을 이온결합이라 한다.

41 향수의 구비조건이 아닌 것은?

가. 향에 특징이 있어야 한다.

나. 향이 강하므로 지속성이 약해야 한다.

다. 시대성에 부합되는 향이어야 한다.

라. 향의 조화가 이루어져야 한다.

42 계면 활성제에 대한 설명 중 잘못된 것은?

가. 계면활성제는 계면을 활성화 시키는 물질이다.
나. 계면활성제는 친수성기와 친유성기를 모두 소유하고 있다.
다. 계면활성제는 표면장력을 높이고 기름을 유화시키는 등의 특성을 지니고 있다.
라. 계면활성제를 표면 활성제라고 한다.

43 다음 중 기초 화장품의 필요성에 해당되지 않는 것은?

가. 세정 나. 미백
다. 피부정돈 라. 피부보호

44 아하(AHA)의 설명이 아닌 것은?

가. 각질제거 및 보습기능이 있다.
나. 글리콜리산, 젖산, 사과산, 주석산, 구연산이 있다.
다. 알파 하이드록시카프로익 엑시드(Alpha-hydroxycaprotic acid)의 약어이다.
라. 피부와 점막에 약간의 자극이 있다.

45 화장품과 의약품의 차이를 바르게 정의한 것은?

가. 화장품의 사용목적은 질병의 치료 및 진단이다.
나. 화장품은 특정부위만 사용가능하다.
다. 의약품의 사용대상은 정상적인 상태인 자로 한정되어 있다.
라. 의약품의 부작용은 어느 정도까지는 인정된다.

46 비누의 제조 방법 중 지방산의 글리세린에스테르와 알칼리를 함께 가열하면 유지가 가수분해되어 비누와 글리세린이 얻어지는 방법은?

가. 중화법 나. 검화법
다. 유화법 라. 화학법

47 샤워코롱이 속하는 분류는?

가. 세정용 화장품 나. 메이크업 화장품
다. 모발용 화장품 라. 방향용 화장품

48 다음 중 동물과 감염병의 병원소로 연결이 잘못된 것은?

가. 소-결핵 나. 쥐-말라리아
다. 돼지-일본뇌염 라. 개-공수병

49 다음 중 식품의 혐기성 상태에서 발육하여 신경계 증상이 주증상으로 나타나는 것은?

가. 살모넬라 식중독
나. 보툴리누스 균
다. 포도상구균 식중독
라. 장염비브리오 식중독

50 감염병 예방법상 제1군 감염병에 속하는 것은?

가. 한센병　　나. 폴리오
다. 일본뇌염　　라. 파라티푸스

51 한지역이나 국가의 공중보건을 평가하는 기초자료로 가장 신뢰성 있게 인정되고 있는 것은?

가. 질병이완율　　나. 영아사망률
다. 신생아사망률　　라. 조사망률

52 다음 중 음료수 소독에 사용되는 소독 방법 중 가장 거리가 먼 것은?

가. 염소소독　　나. 표백분 소독
다. 자비소독　　라. 승홍액 소독

53 보통 상처의 표면을 소독하는데 이용하며 발생기 산소가 강력한 산화력으로 미생물을 살균하는 소독제는?

가. 석탄산　　나. 과산화수소
다. 크레졸　　라. 에탄올

54 알코올 소독의 미생물 세포에 대한 주된 작용기전은?

가. 할로겐 복합물 형성
나. 단백질 변성
다. 효소의 완전 파괴
라. 균체의 완전 융해

55 자비소독에 관한 내용으로 접합하지 않는 것은?

가. 물에 탄산 나트륨을 넣으면 살균력이 강해진다.
나. 소독할 물건은 열탕속에 완전히 잠기도록 해야 한다.
다. 100℃에서 15~20분간 소독한다.
라. 금속기구, 고무, 가죽의 소독에 적합하다.

56 공중위생영업소의 위생관리기준을 향상시키기 위하여 위생 서비스 평가계획을 수립하는 자는?

가. 대통령
나. 보건복지부장관
다. 시·도지사
라. 공중위생관련협회 또는 단체

57 신고를 하지 아니하고 영업소의 소재를 변경한 때 1차 위반 시 행정 처분 기준은?

가. 영업장 폐쇄명령　　나. 영업정지 6월
다. 영업정지 3월　　라. 영업정지 2월

58 이·미용업의 영업신고를 하지 아니하고 업소를 개설한 자에 대한 법적 조치는?

가. 200만원 이하의 과태료

나. 300만원 이하의 벌금

다. 6개월 이하의 징역 또는 500만원 이하의 벌금

라. 1년 이하의 징역 또는 1천만원 이하의 벌금

59 다음 중 법에서 규정하는 명예공중위생감시원의 위촉 대상자가 아닌 것은?

가. 공중위생관련 협회장이 추천하는 자

나. 소비자 단체장이 추천하는 자

다. 공중위생에 대한 지식과 관심이 있는 자

라. 3년 이상 공중위생 행정에 종사한 경력이 있는 공무원

60 소독한 기구와 소독하지 아니한 기구를 각각 다른 용기에 넣어 보관하지 아니한 때에 대한 2차 위반 시의 행정 처분 기준에 해당되는 것은?

가. 경고

나. 영업정지 5일

다. 영업정지 10일

라. 영업장 폐쇄명령

피부미용사 필기시험

2010년 제1회 시행

01 레몬 아로마 에센셜 오일의 사용과 관련된 설명으로 틀린 것은?

가. 무기력한 기분을 상승시킨다.
나. 기미, 주근깨가 있는 피부에 좋다.
다. 여드름, 지성피부에 사용된다.
라. 진정작용이 뛰어나다.

02 상담 시 고객에 대해 취해야 할 사항 중 옳은 것은?

가. 상담 시 다른 고객의 신상정보, 관리정보를 제공한다.
나. 고객의 사생활에 대한 정보를 정확하게 파악한다.
다. 고객과의 친밀감을 갖기 위해 사적으로 친목을 도모한다.
라. 전문적인 지식과 경험을 바탕으로 관리방법과 절차 등에 관해 차분하게 설명해준다.

03 안면 클렌징 시술 시의 주의사항 중 틀린 것은?

가. 고객의 눈이나 코 속으로 화장품이 들어가지 않도록 한다.
나. 근육결 반대방향으로 시술한다.
다. 처음부터 끝까지 일정한 속도와 리듬감을 유지하도록 한다.
라. 동작은 근육이 처지지 않게 한다.

04 밑줄 친 내용에 대한 범위의 설명으로 맞는 것은? (단, 국내법상의 구분이 아닌 일반적인 정의 측면의 내용을 말함)

> 피부관리(Skin care)는 '인체의 피부'를 대상으로 아름답게, 보다 건강한 피부로 개선, 유지, 증진, 예방하기 위해 피부관리사가 고객의 피부를 분석하고 분석 결과에 따라 적합한 화장품, 기구 및 식품 등을 이용하여 피부관리 방법을 제공하는 것을 말한다.

가. 두피를 포함한 얼굴 및 전신의 피부를 말한다.
나. 두피를 제외한 얼굴 및 전신의 피부를 말한다.
다. 얼굴과 손의 피부를 말한다.
라. 얼굴의 피부만을 말한다.

05 다음 중 피지분비가 많은 지성, 여드름성 피부의 노폐물 제거에 가장 효과적인 팩은?

가. 오이팩　　나. 석고팩
다. 머드팩　　라. 알로에겔팩

06 다음 중 노폐물과 독소 및 과도한 체액의 배출을 원활하게 하는 효과에 가장 적합한 관리방법은?

가. 지압　　나. 인디안 헤드 마사지
다. 림프 드레니지　　라. 반사 요법

07 클렌징 순서가 가장 적합한 것은?

가. 클렌징손동작 → 화장품제거 → 포인트메이크업 클렌징 → 클렌징제품도포 → 습포
나. 화장품제거 → 포인트메이크업클렌징 → 클렌징제품도포 → 클렌징손동작 →습포
다. 클렌징제품도포 → 클렌징손동작 → 포인트메이크업클렌징 → 화장품제거 → 습포
라. 포인트메이크업클렌징 → 클렌징제품도포 → 클렌징손동작 → 화장품제거 →습포

08 피부유형에 맞는 화장품 선택이 아닌 것은?

가. 건성피부 : 유분과 수분이 많이 함유된 화장품
나. 민감성피부 : 향, 색소, 방부제를 함유하지 않거나 적게 함유된 화장품
다. 지성피부 : 피지조절제가 함유된 화장품
라. 정상피부 : 오일이 함유되어 있지 않은 오일프리(Oil free) 화장품

09 건성피부의 특징과 가장 거리가 먼 것은?

가. 각질층의 수분이 50% 이하로 부족하다.
나. 피부가 손상되기 쉬우며 주름 발생이 쉽다.
다. 피부가 얇고 외관으로 피부결이 섬세해 보인다.
라. 모공이 작다.

10 화학적 제모와 관련된 설명이 틀린 것은?

가. 화학적 제모는 털을 모근으로부터 제거한다.
나. 제모제품은 강알칼리성으로 피부를 자극하므로 사용 전 첩포시험을 실시하는 것이 좋다.
다. 제모제품 사용 전 피부를 깨끗이 건조시킨 후 적정량을 바른다.
라. 제모 후 산성화장수를 바른 뒤에 진정로션이나 크림을 흡수시킨다.

11 **딥 클렌징의 분류가 옳은 것은?**

가. 고마쥐 : 물리적 각질관리
나. 스크럽 : 화학적 각질관리
다. AHA : 물리적 각질관리
라. 효소 : 물리적 각질관리

12 **효소필링이 적합하지 않은 피부는?**

가. 각질이 두껍고 피부표면이 건조하여 당기는 피부
나. 비립종을 가진 피부
다. 화이트헤드, 블랙헤드를 가지고 있는 지성피부
라. 자외선에 의해 손상된 피부

13 **매뉴얼 테크닉 시 가장 많이 이용되는 기술로 손바닥을 편평하게 하고 손가락을 약간 구부려 근육이나 피부 표면을 쓰다듬고 어루만지는 동작은?**

가. 프릭션(friction)
나. 에플로라지(effleurage)
다. 페트리사지(petrissage)
라. 바이브레이션(vibration)

14 **림프 드레니지를 금해야 하는 증상에 속하지 않은 것은?**

가. 심부전증　　나. 혈전증
다. 켈로이드증　　라. 급성염증

15 **팩의 목적이 아닌 것은?**

가. 노폐물의 제거와 피부정화
나. 혈액순환 및 신진대사 촉진
다. 영양과 수분공급
라. 잔주름 및 피부건조 치료

16 **습포에 대한 설명으로 틀린 것은?**

가. 타월은 항상 자비소독 등의 방법을 실시한 후 사용한다.
나. 온습포는 팔의 안쪽에 대어서 온도를 확인한 후 사용한다.
다. 피부 관리의 최종단계에서 피부의 경직을 위해 온습포를 사용한다.
라. 피부 관리시 사용되는 습포에는 온습포와 냉습포의 두 종류가 일반적이다.

17 **매뉴얼 테크닉 시술에 대한 내용으로 틀린 것은?**

가. 매뉴얼 테크닉 시 모든 동작이 연결될 수 있도록 해야 한다.
나. 매뉴얼 테크닉 시 중추부터 말초 부위로 향해서 시술해야 한다.
다. 매뉴얼 테크닉 시 손놀림도 균등한 리듬을 유지해야 한다.
라. 매뉴얼 테크닉 시 체온의 손실을 막는 것이 좋다.

18 일시적 제모방법 가운데 겨드랑이 및 다리의 털을 제거하기 위해 피부미용실에서 가장 많이 사용되는 제모방법은?

가. 면도기를 이용한 제모
나. 레이저를 이용한 제모
다. 족집게를 이용한 제모
라. 왁스를 이용한 제모

19 표피 중에서 피부로부터 수분이 증발하는 것을 막는 층은?

가. 각질층 나. 기저층
다. 과립층 라. 유극층

20 다음 중 원발진에 해당하는 피부변화는?

가. 가피 나. 미란
다. 위축 라. 구진

21 접촉성 피부염의 주된 알러지원이 아닌 것은?

가. 니켈 나. 금
다. 수은 라. 크롬

22 다음 내용에 해당하는 세포질 내부의 구조물은?

- 세포내의 호흡생리에 관여
- 이중막으로 싸여진 계란형(타원형)의 모양
- 아데노신 삼인산(Adenosin Triphosphate)을 생산

가. 형질내세망(Endolpasmic Reticulum)
나. 용해소체(Lysosome)
다. 골기체(Golgi apparatus)
라. 사립체(Mitochondria)

23 체내에서 근육 및 신경의 자극 전도, 삼투압 조절 등의 작용을 하며, 식욕에 관계가 깊기 때문에 부족하면 피로감, 노동력의 저하 등을 일으키는 것은?

가. 구리(Cu) 나. 식염(NaCl)
다. 요오드(I) 라. 인(P)

24 셀룰라이트(cellulite)의 설명으로 옳은 것은?

가. 수분이 정체되어 부종이 생긴 현상
나. 영양섭취의 불균형 현상
다. 피하지방이 축적되어 뭉친 현상
라. 화학물질에 대한 저항력이 강한 현상

25 식후 12~16시간 경과되어 정신적, 육체적으로 아무것도 하지 않고 가장 안락한 자세로 조용히 누워있을 때 생명을 유지하는 데 소요되는 최소한의 열량을 무엇이라 하는가?

가. 순환대사량 나. 기초대사량
다. 활동대사량 라. 상대대사량

26 피부에 계속적인 압박으로 생기는 각질층의 증식현상이며, 원추형의 국한성 비후증으로 경성과 연성이 있는 것은?

가. 사마귀 나. 무좀
다. 굳은살 라. 티눈

27 에크린 한선에 대한 설명으로 틀린 것은?

가. 실밥을 둥글게 한 것 같은 모양으로 진피내에 존재한다.
나. 사춘기 이후에 주로 발달한다.
다. 특수한 부위를 제외한 거의 전신에 분포한다.
라. 손바닥, 발바닥, 이마에 가장 많이 분포한다.

28 혈액의 구성 물질로 항체생산과 감염의 조절에 가장 관계가 깊은 것은?

가. 적혈구 나. 백혈구
다. 혈장 라. 혈소판

29 세포막을 통한 물질의 이동 방법이 아닌 것은?

가. 여과 나. 확산
다. 삼투 라. 수축

30 다음 중 뼈의 기본구조가 아닌 것은?

가. 골막 나. 골외막
다. 골내막 라. 심막

31 신경계 중 중추신경계에 해당되는 것은?

가. 뇌 나. 뇌신경
다. 척수신경 라. 교감신경

32 내분비와 외분비를 겸한 혼합성 기관으로 3대 영양소를 분해할 수 있는 소화효소를 모두 가지고 있는 소화기관은?

가. 췌장 나. 간
다. 위 라. 대장

33 뇨의 생성 및 배설과정이 아닌 것은?

가. 사구체 여과　　나. 사구체 농축
다. 세뇨관 재흡수　　라. 세뇨관 분비

34 승모근에 대한 설명으로 틀린 것은?

가. 기시부는 두개골의 저부이다.
나. 쇄골과 견갑골에 부착되어 있다.
다. 지배신경은 견갑배신경이다.
라. 견갑골의 내전과 머리를 신전한다.

35 지성피부의 면포추출에 사용하기 가장 적합한 기기는?

가. 분무기　　나. 전동브러쉬
다. 리프팅기　　라. 진공흡입기

36 테슬라 전류(Tesla current)가 사용되는 기기는?

가. 갈바닉(The Galvanic Machine)
나. 전기분무기
다. 고주파기기
라. 스팀기(The vapor izer)

37 피부에 미치는 갈바닉 전류의 양극(+)의 효과는?

가. 피부진정　　나. 모공세정
다. 혈관확장　　라. 피부유연화

38 피부를 분석할 때 사용하는 기기로 짝지어진 것은?

가. 진공흡입기, 패터기
나. 고주파기, 초음파기
다. 우드램프, 확대경
라. 분무기, 스티머

39 스티머 사용 시 주의사항이 아닌 것은?

가. 피부에 따라 적정 시간을 다르게 한다.
나. 스팀 분사방향은 코를 향하도록 한다.
다. 스티머 물통에 물을 2/3 정도 적당량 넣는다.
라. 물통을 일반세제로 씻는 것은 고장의 원인이 될 수 있으므로 사용을 금한다.

40 괄호 안에 알맞은 말이 순서대로 나열된 것은?

물질의 변화에서 고체는 (　)이/가 (　)보다 강하다.

가. 운동력, 기체　　나. 온동, 압력
다. 운동력, 응력　　라. 응력, 운동력

41 다음 중 바디용 화장품이 아닌 것은?

가. 샤워젤 나. 바스오일
다. 데오도란트 라. 헤어에센스

42 다음 중 기능성 화장품의 영역이 아닌 것은?

가. 피부의 미백에 도움을 주는 제품
나. 피부의 주름 개선에 도움을 주는 제품
다. 피부의 여드름 개선에 도움을 주는 제품
라. 자외선으로부터 피부를 보호하는데 도움을 주는 제품

43 화장품의 사용목적과 가장 거리가 먼 것은?

가. 인체를 청결, 미화하기 위하여 사용한다.
나. 용모를 변화시키기 위하여 사용한다.
다. 피부, 모발의 건강을 유지하기 위하여 사용한다.
라. 인체에 대한 약리적인 효과를 주기 위해 사용한다.

44 다음 화장품 중 그 분류가 다른 것은?

가. 화장수 나. 클렌징 크림
다. 샴푸 라. 팩

45 피부 거칠음의 개선, 미백, 탈모방지 등의 피부, 면역학 등을 연구하는 유용성 분야는?

가. 물리학적 유용성
나. 심리학적 유용성
다. 화학적 유용성
라. 생리학적 유용성

46 아로마 오일의 사용법 중 확산법으로 맞는 것은?

가. 따뜻한 물에 넣고 몸을 담근다.
나. 아로마 램프나 스프레이를 이용한다.
다. 수건에 적신 후 피부에 붙인다.
라. 손수건, 티슈 등에 1~2방울 떨어뜨리고 심호흡을 한다.

47 팩에 사용되는 주성분 중 피막제 및 점도 증가제로 사용되는 것은?

가. 카올린(kaolin), 탈크(talc)
나. 폴리비닐알코올(PVA), 잔탄검(xanthan gum)
다. 구연산나트륨(sodium citrate), 아미노산류(amino acids)
라. 유동파라핀(liquid paraffin), 스쿠알렌(squalene)

48 식품의 혐기성 상태에서 발육하여 체외독소로서 신경독소를 분비하며 치명률이 가장 높은 식중독으로 알려진 것은?

가. 살모넬라 식중독
나. 보톨리누스균 식중독
다. 웰치균 식중독
라. 알레르기성 식중독

49 법정 감염병 중 제2군에 해당되는 것은?

가. 디프테리아　　나. A형 간염
다. 레지오넬라증　　라. 한센병

50 질병전파의 개달물(介達物)에 해당되는 것은?

가. 공기, 물　　나. 우유, 음식물
다. 의복, 침구　　라. 파리, 모기

51 다음 중 파리가 매개할 수 있는 질병과 거리가 먼 것은?

가. 아메바성 이질　　나. 장티푸스
다. 발진티푸스　　라. 콜레라

52 승홍에 소금을 섞었을 때 일어나는 현상은?

가. 용액이 중성으로 되고 자극성이 완화된다.
나. 용액의 기능을 2배 이상 증대시킨다.
다. 세균의 독성을 중화시킨다.
라. 소독대상물의 손상을 막는다.

53 일반적으로 사용하는 소독제로서 에탄올의 적정 농도는?

가. 30%　　나. 50%
다. 70%　　라. 90%

54 인체에 질병을 일으키는 병원체 중 대체로 살아있는 세포에서만 증식하고 크기가 가장 작아 전자현미경으로만 관찰할 수 있는 것은?

가. 구균　　나. 간균
다. 바이러스　　라. 원생동물

55 다음 중 상처나 피부 소독에 가장 적합한 것은?

가. 석탄산　　나. 과산화수소수
다. 포르말린수　　라. 차아염소산나트륨

56 **이·미용사가 이·미용업소 외의 장소에서 이·미용을 한 경우 3차 위반 행정처분기준은?**

가. 영업장 폐쇄명령 나. 영업정지 10일
다. 영업정지 1월 라. 영업정지 2월

57 **행정처분 사항 중 1차 위반시 영업장 폐쇄명령에 해당하는 것은?**

가. 영업정지처분을 받고도 그 영업정지 기간 중 영업을 한 때
나. 손님에게 성매매알선 등의 행위를 한 때
다. 소독한 기구와 소독하지 아니한 기구를 각각 다른 용기에 넣어 보관하지 아니한 때
라. 1회용 면도기를 손님 1인에 한하여 사용하지 아니한 때

58 **미용영업자가 시장·군수·구청장에게 변경신고를 하여야 하는 사항이 아닌 것은?**

가. 영업소의 명칭의 변경
나. 영업소의 소재지의 변경
다. 신고한 영업장 면적의 1/3 이상의 증감
라. 영업소내 시설의 변경

59 **위생교육 대상자가 아닌 것은?**

가. 공중위생영업의 신고를 하고자 하는 자
나. 공중위생영업을 승계한 자
다. 공중위생영업자
라. 면허증 취득 예정자

60 **위생서비스평가의 결과에 따른 위생관리등급별로 영업소에 대한 위생감시를 실시할 때의 기준이 아닌 것은?**

가. 위생교육 실시 횟수
나. 영업소에 대한 출입·검사
다. 위생감시의 실시 주기
라. 위생감시의 실시 횟수

피부미용사필기시험

2010년 제2회 시행

01 **피부미용사의 피부분석방법이 아닌 것은?**

가. 문진 나. 견진
다. 촉진 라. 청진

02 **림프드레니지의 대상이 되지 않는 피부는?**

가. 모세혈관피부
나. 일반적인 여드름 피부
다. 부종이 있는 셀룰라이트 피부
라. 감염성 피부

03 **셀룰라이트(cellulite)의 원인이 아닌 것은?**

가. 유전적 요인
나. 지방세포수의 과다 증가
다. 내분비계 불균형
라. 정맥울혈과 림프정체

04 **클렌징 제품과 그에 대한 설명이 바르게 짝지어진 것은?**

가. 클렌징 티슈 : 지방에 예민한 알레르기 피부에 좋으며 세정력이 우수하다.
나 폼 클렌징 : 눈 화장을 지울 때 자주 사용된다.
다. 클렌징 오일 : 물에 용해가 잘 되며, 건성, 노화, 수분부족 지성피부 및 민감성 피부에 좋다.
라. 클렌징밀크 : 화장을 연하게 하는 피부보다 두텁게 하는 피부에 좋으며, 쉽게 부패되지 않는다.

05 **팩과 관련한 내용 중 틀린 것은?**

가. 피부 상태에 따라서 선별해서 사용해야 한다.
나. 팩을 바르기 전 냉타월로 피부를 진정시킨 후 사용하면 효과적이다.
다. 피부에 상처가 있는 경우에는 사용을 삼간다.
라. 눈썹, 눈 주위, 입술 위는 팩 사용을 피한다.

06 벨벳 마스크 사용 시 기포를 제거해야 하는 이유는?

가. 기포가 생기면 마스크의 모양이 예쁘지 않기 때문이다.

나. 기포가 생기면 마스크의 적용시간이 길어지기 때문이다.

다. 기포가 생기면 고객이 불편해 하기 때문이다.

라. 기포가 생기는 부분에는 마스크의 성분이 피부에 침투하지 않기 때문이다.

07 딥 클렌징에 관한 설명으로 옳지 않은 것은?

가. 화장품을 이용한 방법과 기기를 이용한 방법으로 구분된다.

나. AHA를 이용한 딥 클렌징의 경우 스티머를 이용한다.

다. 피부표면의 노화된 각질을 부드럽게 제거함으로써 유용한 성분의 침투를 높이는 효과가 있다.

라. 기기를 이용한 딥 클렌징 방법에는 석션, 브러싱, 디스인크러스테이션 등이 있다.

08 딥 클렌징의 효과로 틀린 것은?

가. 모공 깊숙이 들어 있는 불순물을 제거한다.

나. 미백효과가 있다.

다. 피부표면의 각질을 제거한다.

라. 화장품의 흡수 및 침투가 좋아진다.

09 피부미용 시 처음과 마지막 동작 또는 연결동작으로 이용되는 매뉴얼 테크닉은?

가. 에플로라지(effleurage)

나. 타포트먼트 (tapotment)

다. 니딩(kneading)

라. 롤링(rolling)

10 피부유형과 관리 목적과의 연결이 틀린 것은?

가. 민감피부 : 진정, 긴장 완화

나. 건성피부 : 보습작용 억제

다. 지성피부 : 피지 분비 조절

라. 복합성피부 : 피지, 유·수분 균형 유지

11 매뉴얼 테크닉의 기본 동작 중 신경조직을 자극하여 혈액순환을 촉진시켜 피부 탄력성 증가에 가장 옳은 효과를 주는 것은?

가. 쓰다듬기　　나. 문지르기

다. 두드리기　　라. 반죽하기

12 피부관리실에서 피부관리시 마무리관리에 해당하지 않는 것은?

가. 피부타입에 따른 화장품 바르기

나. 자외선 차단크림 바르기

다. 머리 및 뒷목부위 풀어주기

라. 피부상태에 따라 매뉴얼 테크닉하기

13 **다음 중 화학적인 제모방법은?**

가. 제모크림을 이용한 제모
나. 온왁스를 이용한 제모
다. 족집게를 이용한 제모
라. 냉왁스를 이용한 제모

14 **매뉴얼테크닉의 효과가 아닌 것은?**

가. 내분비기능의 조절
나. 결체조직에 긴장과 탄력성 부여
다. 혈액순환촉진
라. 반사 작용의 억제

15 **왁스를 이용한 제모 방법으로 적합하지 않은 것은?**

가. 피지막이 제거된 상태에서 파우더를 도포한다.
나. 털이 성장하는 방향으로 왁스를 바른다.
다. 쿨 왁스를 바를 때는 털이 잘 제거 되도록 왁스를 얇게 바른다.
라. 남은 왁스를 오일로 제거한 후 온습포로 진정한다.

16 **피부유형별 화장품사용 시 AHA의 적용피부가 아닌 것은?**

가. 예민피부　　나. 노화피부
다. 지성피부　　라. 색소침착피부

17 **피부유형에 대한 설명 중 틀린 것은?**

가. 정상피부 : 유·수분 균형이 잘 잡혀있다.
나. 민감성피부 : 각질이 드문드문 보인다.
다. 노화피부 : 미세하거나 선명한 주름이 보인다.
라. 지성피부 : 모공이 크고 표면이 귤껍질같이 보이기 쉽다.

18 **클렌징 제품의 선택과 관련된 내용과 가장 거리가 먼 것은?**

가. 피부에 자극이 적어야 한다.
나. 피부의 유형에 맞는 제품을 선택해야 한다.
다. 특수 영양성분이 함유되어 있어야 한다.
라. 화장이 짙을 때는 세정력이 높은 클렌징 제품을 사용하여야 한다.

19 **피지선에 대한 내용으로 틀린 것은?**

가. 진피층에 놓여 있다.
나. 손바닥과 발바닥, 얼굴, 이마 등에 많다.
다. 사춘기 남성에게 집중적으로 분비된다.
라. 입술, 성기, 유두, 귀두, 등에 독립피지선이 있다.

20 **켈로이드는 어떤 조직이 비정상으로 성장한 것인가?**

가. 피하지방조직　　나. 정상 상피조직
다. 정상 분비선 조직　　라. 결합조직

21 성장촉진, 생리대사의 보조역할, 신경안정과 면역기능강화 등의 역할 을 하는 영양소는?

가. 단백질 나. 비타민
다. 무기질 라. 지방

22 교원섬유(collagen)와 탄력섬유(elastin)로 구성되어 있어 강한 탄력성을 지니고 있는 곳은?

가. 표피 나. 진피
다. 피하조직 라. 근육

23 물사마귀라고도 불리우며 황색 또는 분홍색의 반투명성 구진(2~3mm 크기)을 가지는 피부양성종양으로 땀샘관의 개출구 이상으로 피지분비가 막혀 생성되는 것은?

가. 한관종 나. 혈관종
다. 섬유종 라. 지방종

24 기미피부의 손질방법으로 가장 틀린 것은?

가. 정신적 스트레스를 최소화한다.
나. 자외선을 자주 이용하여 멜라닌을 관리한다.
다. 화학적 필링과 AHA 성분을 이용한다.
라. 비타민 C가 함유된 음식물을 섭취한다.

25 장기간에 걸쳐 반복하여 긁거나 비벼서 표피가 건조하고 가죽처럼 두꺼워진 상태는?

가. 가피 나. 낭종
다. 태선화 라. 반흔

26 피부의 피지막은 보통 상태에서 어떤 유화 상태로 존재하는가?

가. w/o 유화 나. o/w 유화
다. w/s 유화 라. s/w 유화

27 피부의 각화과정(Keratinization) 이란?

가. 피부가 손톱, 발톱으로 딱딱하게 변하는 것을 말한다.
나. 피부세포가 기저층에서 각질층까지 분열되어 올라가 죽은 각질 세포로 되는 현상을 말한다.
다. 기저세포 중의 멜라닌 색소가 많아져서 피부가 검게 되는 것을 말한다.
라. 피부가 거칠어져서 주름이 생겨 늙는 것을 말한다.

28 다음 중 수면을 조절하는 호르몬은?

가. 티로신 나. 멜라토닌
다. 글루카곤 라. 칼시토닌

29 다음 중 윗몸일으키기를 하였을 때 주로 강해지는 근육은?

가. 이두박근 나. 복직근
다. 삼각근 라. 횡경막

30 다음 중 척수신경이 아닌 것은?

가. 경신경 나. 흉신경
다. 천골신경 라. 미주신경

31 인체의 혈액량은 체중의 약 몇 %인가?

가. 약 2% 나. 약 8%
다. 약 20% 라. 약 30%

32 각 소화기관별 분비되는 소화 효소와 소화시킬 수 있는 영양소가 올바르게 짝지어진 것은?

가. 소장 : 키이모트립신-단백질
나. 위 : 펩신-지방
다. 입 : 락타아제-탄수화물
라. 췌장 : 트립신-단백질

33 성장기까지 뼈의 길이 성장을 주도하는 것은?

가. 골막 나. 골단판
다. 골수 라. 해면골

34 난자를 형성하는 성선인 동시에, 에스트로겐과 프로게스테론을 분비하는 내분비선은?

가. 난소 나. 고환
다. 태반 라. 췌장

35 용액 내에서 이온화 되어 전도체가 되는 물질은?

가. 전기분해 나. 전해질
다. 혼합물 라. 분자

36 전류의 세기를 측정하는 단위는?

가. 볼트 나. 암페어
다. 와트 라. 주파수

37 엔더몰로지 사용방법으로 틀린 것은?

가. 시술 전 용도에 맞는 오일을 바른 후 시술한다.
나. 지성의 경우 탈크 파우더를 약간 바른 후 시술한다.
다. 전신 체형관리 시 10~20분 정도 적용한다.
라. 말초에서 심장방향으로 밀어 올리듯 시술한다.

38 자외선램프의 사용에 대한 내용으로 틀린 것은?

가. 고객으로부터 1m 이상의 거리에서 사용한다.
나. 주로 UVA를 방출하는 것을 사용한다.
다. 눈 보호를 위해 패드나 선글라스를 착용하게 한다.
라. 살균이 강한 화학선이므로 사용 시 주의를 해야 한다.

39 고주파기의 효과에 대한 설명으로 틀린 것은?

가. 피부의 활성화로 노폐물 배출의 효과가 있다.
나. 내분비선의 분비를 활성화한다.
다. 색소침착부위의 표백효과가 있다.
라. 살균, 소독 효과로 박테리아 번식을 예방한다.

40 프리마톨을 가장 잘 설명한 것은?

가. 석션유리관을 이용하여 모공의 피지와 불필요한 각질을 제거하기 위해 사용하는 기기이다.
나. 회전브러쉬를 이용하여 모공의 피지와 불필요한 각질을 제거하기 위해 사용하는 기기이다.
다. 스프레이를 이용하여 모공의 피지와 불필요한 각질을 제거하기 위해 사용하는 기기이다.
라. 우드램프를 이용하여 모공의 피지와 불필요한 각질을 제거하기 위해 사용하는 기기이다.

41 기능성 화장품에 속하지 않는 것은?

가. 피부의 미백에 도움을 주는 제품
나. 자외선으로부터 피부를 보호해주는 제품
다. 피부 주름 개선에 도움을 주는 제품
라. 피부 여드름 치료에 도움을 주는 제품

42 아로마 오일에 대한 설명 중 틀린 것은?

가. 아로마오일은 면역기능을 높여준다.
나. 아로마오일은 기미, 피부미용에 효과적이다.
다. 아로마오일은 피부관리는 물론 화상, 여드름, 염증 치유에도 쓰인다.
라. 아로마오일은 피지에 쉽게 용해되지 않으므로 다른 첨가물을 혼합하여 사용한다.

43 페이셜 스크럽(facial sclub)에 관한 설명 중 옳은 것은?

가. 민감성 피부의 경우에는 스크럽제를 문지를 때 무리하게 압을 가하지만 않으면 매일 사용해도 상관없다.
나. 피부 노폐물, 세균, 메이크업 찌꺼기 등을 깨끗하게 지워주기 때문에 메이크업을 했을 경우는 반드시 사용한다.
다. 각화된 각질을 제거해 줌으로써 세포의 재생을 촉진해준다.
라. 스크럽제로 문지르면 신경과 혈관을 자극하여 혈액순환을 촉진시켜 주므로 15분 정도 충분히 마사지가 되도록 문질러 준다.

44 비누에 대한 설명으로 틀린 것은?

가. 비누의 세정작용은 비누 수용액이 오염과 피부사이에 침투하여 부착을 약화시켜 떨어지기 쉽게 하는 것이다.

나. 비누는 거품이 풍성하고 잘 헹구어져야 한다.

다. 비누는 세정작용 뿐만 아니라 살균, 소독효과를 주로 가진다.

라. 메디케이티드 비누는 소염제를 배합한 제품으로 여드름, 면도 상처 및 피부 거칠음 방지효과가 있다.

45 화장품 성분 중에서 양모에서 정제한 것은?

가. 바셀린　나. 밍크오일
다. 플라센타　라. 라놀린

46 세정용 화장수의 일종으로 가벼운 화장의 제거에 사용하기에 가장 적합한 것은?

가. 클렌징 오일　나. 클렌징 워터
다. 클렌징 로션　라. 클렌징 크림

47 화장품의 4대 품질 조건에 대한 설명이 틀린 것은?

가. 안전성 : 피부에 대한 자극, 알러지, 독성이 없을 것

나. 안정성 : 변색, 변취, 미생물의 오염이 없을 것

다. 사용성 : 피부에 사용감이 좋고 잘 스며들 것

라. 유효성 : 질병치료 및 진단에 사용할 수 있는 것

48 식품의 혐기성 상태에서 발육하여 신경독소를 분비하는 세균성 식중독 원인균은?

가. 살모넬라균

나. 황색 포도상구균

다. 캠필로박터균

라. 보툴리누스균

49 사회보장의 분류에 속하지 않는 것은?

가. 산재보험　나. 자동차 보험
다. 소득보장　라. 생활보호

50 감염병 신고와 보고규정에서 7일 이내에 관할 보건소에 신고해야 할 감염병은?

가. 파상풍　나. 콜레라
다. 성병　라. 디프테리아

51 임신 7개월(28주)까지의 분만을 뜻하는 것은?

가. 조산　나. 유산
다. 사산　라. 정기산

52 환자 접촉자가 손의 소독 시 사용하는 약품으로 가장 부적당한 것은?

가. 크레졸수　나. 승홍수
다. 역성비누　라. 석탄산

53 당이나 혈청과 같이 열에 의해 변성되거나 불안정한 액체의 멸균에 이용되는 소독법은?

가. 저온살균법 나. 여과멸균법
다. 간헐멸균법 라. 건열멸균법

54 다음 중 화학적 소독법에 해당되는 것은?

가. 알콜 소독법 나. 자비소독법
다. 고압증기멸균법 라. 간헐멸균법

55 석탄산의 희석배수 90배를 기준으로 할 때 어떤 소독약의 석탄산 계수가 4였다면 이 소독약의 희석배수는?

가. 90배 나. 94배
다. 360배 라. 400배

56 손님의 얼굴, 머리, 피부 등을 손질하여 손님의 외모를 아름답게 꾸미는 공중위생영업은?

가. 위생관리용역 나. 이용업
다. 미용업 라. 목욕장업

57 영업소의 폐쇄명령을 받고도 계속하여 영업을 하는 때에 관계공무원으로 하여금 영업소를 폐쇄할 수 있도록 조치를 위할 수 있는 자는?

가. 보건복지부장관 나. 시, 도지사
다. 시장·군수·구청장 라. 보건소장

58 위생교육을 받지 아니한 때에 대한 3차 위반 시 행정정지 처분기준은?

가. 영업정지 10일 나. 영업정지 15일
다. 영업정지 1월 라. 영업장 폐쇄명령

59 공중이용시설의 위생관리 규정을 위반한 시설의 소유자에게 개선명령을 할 때 명시하여야 할 것에 해당되는 것은?(모두 고를 것)

1. 위생관리기준
2. 개선 후 복구 상태
3. 개선기간
4. 발생된 오염물질의 종류

가. 1, 3 나. 2, 4
다. 1, 3, 4 라. 1, 2, 3, 4

60 이·미용사의 면허증을 재교부 신청할 수 없는 경우는?

가. 국가기술자격법에 의한 이·미용사 자격증이 취소된 때
나. 면허증의 기재사항에 변경이 있을 때
다. 면허증을 분실 한 때
라. 면허증이 못 쓰게 된 때

피부미용사필기시험

2010년 제4회 시행

01 올바른 피부 관리를 위한 필수조건과 가장 거리가 먼 것은?

가. 관리사의 유창한 화술

나. 정확한 피부타입 측정

다. 화장품에 대한 지식과 응용기술

라. 적절한 매뉴얼 테크닉 기술

02 여드름 관리에 효과적인 성분이 아닌 것은?

가. 스테로이드(Steroid)

나. 과산화 벤조인(Benzoyl Peroxide)

다. 살리실산(Salicylic Acid)

라. 글리콜산(Glycolic Acid)

03 크림타입의 클렌징 제품에 대한 설명으로 옳은 것은?

가. W/O타입으로 유성성분과 메이크업 제거에 효과적이다.

나. 노화피부에 적합하고 물에 잘 용해가 된다.

다. 친수성으로 모든 피부에 사용 가능하다.

라. 클렌징 효과는 약하나 끈적임이 없고 지성피부에 특히 적합하다.

04 딥클렌징(deep cleansing)시 사용되는 제품의 형태와 가장 거리가 먼 것은?

가. 액체(AHA) 타입

나. 고마쥐(gommage) 타입

다. 스프레이(spray) 타입

라. 크림(cream) 타입

05 매뉴얼 테크닉의 방법에 대한 설명이 옳은 것은?

가. 고객의 병력을 꼭 체크한다.

나. 손을 밀착시키고 압은 강하게 한다.

다. 관리 시 심장에서 가까운 쪽부터 마사지한다.

라. 충분한 상담을 통하되 피부미용사는 의사가 아니므로 몸 상태를 살펴볼 필요는 없다.

06 두 가지 이상의 다른 종류의 마스크를 적용시킬 경우 가장 먼저 적용시켜야 하는 마스크는?

가. 가격이 높은 것

나. 수분 흡수 효과를 가진 것

다. 피부로의 침투시간이 긴 것

라. 영양성분이 많이 함유된 것

07 제모의 방법에 대한 내용 중 틀린 것은?

가. 왁스는 모간을 제거하는 방법이다.
나. 전기응고술은 영구적인 제모방법이다.
다. 전기분해술은 모유두를 파괴시키는 방법이다.
라. 제모크림은 일시적인 제모방법이다.

08 콜라겐 벨벳마스크의 설명으로 틀린 것은?

가. 피부의 수분 보유량을 향상시켜 잔주름을 예방한다.
나. 필링 후 사용하여 피부를 진정시킨다.
다. 천연 콜라겐을 냉동 건조시켜 만든 마스크이다.
라. 효과를 높이기 위해 비타민을 함유한 오일을 흡수시킨 후 실시한다.

09 피부미용의 기능적 영역이 아닌 것은?

가. 관리적 기능 나. 실제적 기능
다. 심리적 기능 라. 장식적 기능

10 안면 매뉴얼 테크닉의 효과와 가장 거리가 먼 것은?

가. 피부세포에 산소와 영양소를 공급한다.
나. 여드름을 없애준다.
다. 피부의 혈액순환을 촉진시킨다.
라. 피부를 부드럽고 유연하게 해주며 근육을 이완시켜 노화를 지연시킨다.

11 피부 미용의 영역이 아닌 것은?

가. 눈썹 정리 나. 제모(waxing)
다. 피부 관리 라. 모발 관리

12 다음 설명에 따르는 화장품이 가장 적합한 피부형은?

> 저자극성 성분을 사용하며, 향/알코올/색소/방부제가 적게 함유되어 있다.

가. 지성피부 나. 복합성피부
다. 민감성피부 라. 건성피부

13 딥 클렌징에 대한 내용으로 가장 적합한 것은?

가. 노화된 각질을 부드럽게 연화하여 제거한다.
나. 피부표면의 더러움을 제거하는 것이 주목적이다.
다. 주로 메이크업의 제거를 위해 사용한다.
라. 고마쥐, 스크럽 등이 해당하며, 화학적 필링이라고 한다.

14 각 피부유형에 대한 설명으로 틀린 것은?

가. 유성지루피부 : 과잉 분비된 피지가 피부 표면에 기름기를 만들어 항상 번질거리는 피부
나. 건성 지루피부 : 피지분비기능의 상승으로 피지는 과다 분비되어 표피에 기름기가 흐르나 보습기능이 저하되어 피부표면의 당김 현상이 일어나는 피부
다. 표피 수분부족 건성피부 : 피부 자체의 내적 원인에 의해 피부 자체의 수화기능에 문제가 되어 생기는 피부
라. 모세혈관 확장 피부 : 코와 뺨 부위의 피부가 항상 붉거나 피부 표면에 붉은 실핏줄이 보이는 피부

15 매뉴얼 테크닉 시 피부미용사의 자세로 가장 적합한 것은?

가. 허리를 살짝 구부린다.
나. 발은 가지런히 모으고 손목에 힘을 뺀다.
다. 양팔은 편안한 상태로 손목에 힘을 준다.
라. 발은 어깨넓이만큼 벌리고 손목에 힘을 뺀다.

16 온습포의 효과는?

가. 혈행을 촉진시켜 조직의 영양공급을 돕는다.
나. 혈관 수축 작용을 한다.
다. 피부 수렴 작용을 한다.
라. 모공을 수축 시킨다.

17 유분이 많은 화장품보다는 수분공급에 효과적인 화장품을 선택하여 사용하고, 알코올 함량이 많아 피지 제거 기능과 모공수축 효과가 뛰어난 화장수를 사용하여야 할 피부유형으로 가장 적합한 것은?

가. 건성피부　　나. 민감성피부
다. 정상피부　　라. 지성피부

18 매뉴얼 테크닉의 부적용 대상과 가장 거리가 먼 것은?

가. 임산부의 복부, 가슴 매뉴얼 테크닉
나. 외상이 있거나 수술 직후
다. 오랫동안 서있는 자세로 인한 다리의 부종
라. 다리부위에 정맥류가 있는 경우

19 손바닥과 발바닥 등 비교적 피부층이 두터운 부위에 주로 분포되어 있으며 수분침투를 방지하고 피부를 윤기있게 해주는 기능을 가진 엘라이딘이라는 단백질을 함유하고 있는 표피 세포층은?

가. 각질층　　나. 유두층
다. 투명층　　라. 망상층

20 피부가 느끼는 오감 중에서 가장 감각이 둔감한 것은?

가. 냉각(冷覺)　　나. 온각(溫覺)
다. 통각(痛覺)　　라. 압각(壓覺)

21 피부색소인 멜라닌을 주로 함유하고 있는 세포층은?

가. 각질층 나. 과립층
다. 기저층 라. 유극층

22 모세혈관이 위치하며 콜라겐 조직과 탄력적인 엘라스틴섬유 및 뮤코다당류로 구성이 되어있는 피부의 부분은?

가. 표피 나. 유극층
다. 진피 라. 피하조직

23 기미가 생기는 원인으로 가장 거리가 먼 것은?

가. 정신적 불안
나. 비타민C 과다
다. 내분비 기능장애
라. 질이 좋지 않은 화장품의 사용

24 다음 중 원발진으로만 짝지어진 것은?

가. 농포, 수포 나. 색소침착, 찰상
다. 티눈, 흉터 라. 동상, 궤양

25 나이아신 부족과 아미노산 중 트립토판 결핍으로 생기는 질병으로써 옥수수를 주식으로 하는 지역에서 자주 발생하는 것은?

가. 각기증 나. 괴혈병
다. 구루병 라. 펠라그라병

26 피부의 각질(케라틴)을 만들어 내는 세포는?

가. 색소세포 나. 기저세포
다. 각질형성세포 라. 섬유아세포

27 대상포진(헤르페스)의 특징에 대한 설명으로 옳은 것은?

가. 지각신경 분포를 따라 군집 수포성 발진이 생기며 통증이 동반된다.
나. 바이러스를 갖고 있지 않다.
다. 전염되지 않는다.
라. 목과 눈꺼풀에 나타나는 전염성 비대 증식현상이다.

28 다음 중 소화기관이 아닌 것은?

가. 구강 나. 인두
다. 기도 라. 간

29 다음 중 중추신경계가 아닌 것은?

가. 대뇌　　나. 소뇌
다. 뇌신경　　라. 척수

30 다음 중 뇌, 척수를 보호하는 골이 아닌 것은?

가. 두정골　　나. 측두골
다. 척추　　라. 흉골

31 평활근은 잡아당기면 쉽게 늘어나서 장력(tension)의 큰 변화 없이 본래 길이의 몇 배까지도 되는데, 이와 같은 성질을 무엇이라고 하는가?

가. 연축(twitch)　　나. 강직(contracture)
다. 긴장(tonus)　　라. 가소성(plasticity)

32 다음 중 혈액응고와 관련이 가장 먼 것은?

가. 조혈자극인자　　나. 피브린
다. 프로트롬빈　　라. 칼슘이온

33 다음 중 세포막의 기능 설명이 틀린 것은?

가. 세포의 경계를 형성한다.
나. 물질을 확산에 의해 통과시킬 수 있다.
다. 단백질을 합성하는 장소이다.
라. 조직을 이식할 때 자기 조직이 아닌 것을 인식할 수 있다.

34 다음 중 신장의 신문으로 출입하는 것이 아닌 것은?

가. 요도　　나. 신우
다. 맥관　　라. 신경

35 진공흡입기 적용을 금지해야 하는 경우와 가장 거리가 먼 것은?

가. 모세혈관 확장피부
나. 알레르기성 피부
다. 지나치게 탄력이 저하된 피부
라. 건성피부

36 전기장치에서 퓨즈(fuse)의 역할은?

가. 전압을 바꾸어 준다.
나. 전류의 세기를 조절한다.
다. 부도체에 전기가 잘 통하도록 한다.
라. 전선의 과열 막아 주는 안정장치 역할을 안다.

37 열을 이용한 기기가 아닌 것은?

가. 스티머
나. 이온토포레시스
다. 파라핀 왁스기
라. 적외선등

38 프리싱 기기의 올바른 사용법은?

가. 브러시 끝이 눌리도록 적당한 힘을 가한다.
나. 손목으로 회전브러시를 돌리면서 적용시킨다.
다. 브러시는 피부에 대해 수평방향으로 적용시킨다.
라. 회전내용물이 튀지 않도록 양을 적당히 조절한다.

39 교류 전류로 신경근육계의 자극이나 전기 진단에 많이 이용되는 감응전류(Faradic current)의 피부 관리 효과와 가장 거리가 먼 것은?

가. 근육 상태를 개선한다.
나. 세포의 작용을 활발하게 하여 노폐물을 제거한다.
다. 혈액순환을 촉진한다.
라. 산소의 분비가 조직을 활성화 시켜준다.

40 피부분석 시 사용하는 기기가 아닌 것은?

가. 확대경
나. 우드램프
다. 스킨 스코프
라. 적외선램프

41 다음 설명 중 파운데이션의 일반적인 기능과 가장 거리가 먼 것은?

가. 피부색을 기호에 맞게 바꾼다.
나. 피부의 기미, 주근깨 등 결점을 커버한다.
다. 자외선으로부터 피부를 보호한다.
라. 피지 억제와 화장을 지속시켜준다.

42 향장품을 선택할 때에 검토해야 하는 조건이 아닌 것은?

가. 피부나 점막, 두발 등에 손상을 주거나 알레르기 등을 일으킬 염려가 없는 것
나. 구성 성분이 균일한 성상으로 혼합되어 있지 않는 것
다. 사용 중이나 사용 후에 불쾌감이 없고 사용감이 산뜻한 것
라. 보존성이 좋아서 잘 변질되지 않는 것

43 바디 화장품의 종류와 사용 목적의 연결이 적합하지 않은 것은?

가. 바디클렌저 : 세정/용제
나. 데오도란트 파우더 : 탈색/제모
다. 썬스크린 : 자외선 방어
라. 바스 솔트 : 세정/용제

44 다음 중 아래 설명에 적합한 유화형태의 판별법은?

> 유화 형태를 판별하기 위해서 물을 첨가한 결과 잘 섞여 O/W형으로 판별되었다.

가. 전기전도도법　　나. 희석법
다. 색소첨가법　　라. 질량분석법

45 자외선 차단을 도와주는 화장품 성분이 아닌 것은?

가. 파라아미노안식향산(para-aminobenzoic acid)
나. 옥틸디메틸파바(octyldimethyl PABA)
다. 콜라겐(collagen)
라. 티타늄디옥사이드(titanium dioxide)

46 바디 샴푸의 성질로 틀린 것은?

가. 세포 간에 존재하는 지질을 가능한 보호
나. 피부의 요소, 염분을 효과적으로 제거
다. 세균의 증식 억제
라. 세정제의 각질층 내 침투로 지질을 용출

47 향수를 뿌린 후 즉시 느껴지는 향수의 첫 느낌으로, 주로 휘발성이 강한 향료들로 이루어져 있는 노트(note)는?

가. 탑 노트(Top note)
나. 미들 노트(Middle note)
다. 하트 노트(Heart note)
라. 베이스 노트(Base note)

48 보건행정의 특성과 가장 거리가 먼 것은?

가. 공공성　　나. 교육성
다. 정치성　　라. 과학성

49 실내의 가장 쾌적한 온도와 습도는?

가. 14℃ , 20%　　나. 16℃ , 30%
다. 18℃ , 60%　　라. 20℃ , 89%

50 이·미용업소에서 전염될 수 있는 트라코마에 대한 설명 중 틀린 것은?

가. 수건, 세면기 등에 의하여 감염된다.
나. 전염원은 환자의 눈물, 콧물 등이다.
다. 예방접종으로 사전 예방할 수 있다.
라. 실명의 원인이 될 수 있다.

51 다음 중 쥐와 관계없는 감염병은?

가. 유행성출혈열　　나. 페스트
다. 공수병　　라. 살모넬라증

52 다음 소독제 중에서 할로겐계에 속하지 않는 것은?

가. 표백분　　나. 석탄산
다. 차아염소산 나트륨　　라. 염소 유기화합물

53 다음 중 예방법으로 생균백신을 사용하는 것은?

가. 홍역　　나. 콜레라
다. 디프테리아　　라. 파상풍

54 인체의 창상용 소독약으로 부적당한 것은?

가. 승홍수　　나. 머큐로크롬액
다. 희옥도정기　　라. 아크리놀

55 이·미용업 종사자가 손을 씻을 때 많이 사용하는 소독약은?

가. 크레졸 수　　나. 페놀 수
다. 과산화수소　　라. 역성 비누

56 다음 중 공중위생감시원의 업무범위가 아닌 것은?

가. 공중위생 영업 관련 시설 및 설비의 위생상태 확인 및 검사에 관한 사항
나. 공중위생영업소의 위생서비스 수준평가에 관한 사항
다. 공중위생영업소 개설자의 위생교육 이행여부 확인에 관한 사항
라. 공중위생영업자의 위생관리의무 영업자준수사항 이행여부의 확인에 관한 사항

57 이·미용업영업자가 신고를 하지 아니하고 영업소의 상호를 변경한 때의 1차 위반 행정처분기준은?

가. 경고 또는 개선명령
나. 영업정지 3월
다. 영업허가 취소
라. 영업장 폐쇄명령

58 이/미용사의 면허를 받지 않은 자가 이/미용의 업무를 하였을 때의 벌칙기준은?

가. 100만원 이하의 벌금
나. 200만원 이하의 벌금
다. 300만원 이하의 벌금
라. 500만원 이하의 벌금

59 건전한 영업질서를 위하여 공중위생영업자가 준수하여야 할 사항을 준수하지 아니한 자에 대한 벌칙기준은?

가. 1년 이하의 징역 또는 1천만원 이하의 벌금
나. 6월 이하의 징역 또는 500만원 이하의 벌금
다. 3월 이하의 징역 또는 300만원 이하의 벌금
라. 300만원 이하의 벌금

60 이/미용업소 내에서 게시하지 않아도 되는 것은?

가. 이/미용업 신고증
나. 개설자의 면허증 원본
다. 개설자의 건강진단서
라. 요금표

피부미용사 필기시험

2010년 제5회 시행

01 화장수(스킨로션)를 사용하는 목적과 가장 거리가 먼 것은?

가. 세안을 하고나서도 지워지지 않는 피부의 잔여물을 제거하기 위해서
나. 세안 후 남아있는 세안제의 알칼리성 성분 등을 닦아내어 피부표면의 산도를 약산성으로 회복시켜 피부를 부드럽게 하기 위해서
다. 보습제, 유연제의 함유로 각질층을 촉촉하고 부드럽게 하면서 다음 단계에 사용할 제품의 흡수를 용이하게 하기 위해서
라. 각종 영양 물질을 함유하고 있어, 피부의 탄력을 증진시키기 위해서

02 딥 클렌징 시술과정에 대한 내용 중 틀린 것은?

가. 깨끗이 클렌징이 된 상태에서 적용한다.
나. 필링제를 중앙에서 바깥쪽, 아래에서 위쪽으로 도포한다.
다. 고마쥐 타입은 팩이 마른 상태에서 근육결대로 가볍게 밀어준다.
라. 딥 클렌징 단계에서는 수분 보충을 위해 스티머를 반드시 사용한다.

03 제모 할 때 왁스는 일반적으로 어떻게 바르는 것이 적합한가?

가. 털이 자라는 방향
나. 털이 자라는 반대 방향
다. 털이 자라는 왼쪽 방향
라. 털이 자라는 오른쪽 방향

04 피부타입에 따른 팩의 사용이 잘못된 것은?

가. 건성피부 : 클레이 마스크
나. 지성피부 : 클레이 마스크
다. 노화 피부 : 벨벳 마스크
라. 여드름 피부 : 머드팩

05 건성피부의 화장품 사용법으로 옳지 않은 것은?

가. 영양, 보습 성분이 있는 오일이나 에센스
나. 알코올이 다량 함유되어 있는 토너
다. 클렌저는 밀크타입이나 유분기가 있는 크림타입
라. 토닉으로 보습기능이 강화된 제품

06 **다음 중 매뉴얼 테크닉을 적용하는데 가장 적합한 사람은?**

가. 손·발이 냉한 사람
나. 독감이 심하게 걸린 사람
다. 피부에 상처나 질환이 있는 사람
라. 정맥류가 있어 혈관이 튀어 나온 사람

07 **매뉴얼 테크닉 방법 중 두드리기의 효과와 가장 거리가 먼 것은?**

가. 피부진정과 긴장완화 효과
나. 혈액순환 촉진
다. 신경 자극
라. 피부의 탄력성 증대

08 **매뉴얼 테크닉에 대한 설명 중 거리가 먼 것은?**

가. 체내의 노폐물 배설 작용을 도와준다.
나. 신진대사의 기능이 빨라져 혈압을 내려준다.
다. 몸의 긴장을 풀어줌으로써 건강한 몸과 마음을 갖게 한다.
라. 혈액순환을 도와 피부에 탄력을 준다.

09 **다음 중 온습포의 효과가 아닌 것은?**

가. 혈액 순환 촉진
나. 모공확장으로 피지, 면포 등 불순물 제거
다. 피지선 자극
라. 혈관 수축으로 염증 완화

10 **실핏선 피부(cooper rose)의 특징이라고 볼 수 없는 것은?**

가. 혈관의 탄력이 떨어져 있는 상태이다.
나. 피부가 대체로 얇다.
다. 지나친 온도 변화에 쉽게 붉어진다.
라. 모세혈관의 수축으로 혈액의 흐름이 원활하지 못하다.

11 **주로 피부관리실 에서 사용되고 있는 제모 방법은?**

가. 면도(shaving)
나. 왁싱(Waxing)
다. 전기응고술(Epilation Electrolysis)
라. 전기분해술(Coagulation)

12 **입술화장을 지우는 방법이 틀리게 설명된 것은?**

가. 입술을 적당히 벌리고 가볍게 닦아낸다.
나. 윗입술은 위에서 아래로 닦아낸다.
다. 아랫입술은 아래에서 위로 닦아낸다.
라. 입술 중간에서 외곽부위로 닦아낸다.

13 피부미용 역사에 대한 설명이 틀린 것은?

가. 고대 이집트에서는 피부미용을 위해 천연재료를 사용하였다.

나. 고대 그리스에서는 식이요법, 운동, 마사지, 목욕 등을 통해 건강을 유지하였다.

다. 고대 로마인은 청결과 장식을 중요시하여 오일, 향수, 화장이 생활의 필수품이었다.

라. 국내의 피부미용이 전문화되기 시작한 것은 19세기 중반부터였다.

14 딥 클렌징과 관련이 가장 먼 것은?

가. 더마스코프(Dermascope)

나. 프리마톨(Frimator)

다. 엑스폴리에이션(exfoliation)

라. 디스인크러스테이션(disincrustation)

15 다음 중 클렌징의 목적과 가장 관계가 깊은 것은?

가. 피지 및 노폐물 제거

나. 피부막 제거

다. 자외선으로부터 피부보호

라. 잡티제거

16 셀룰라이트에 대한 설명이 틀린 것은?

가. 노폐물 등이 정체되어 있는 상태

나. 피하지방이 비대해져 정체되어 있는 상태

다. 소성결합조직이 경화되어 뭉쳐져 있는 상태

라. 근육이 경화되어 딱딱하게 굳어 있는 상태

17 세안 후 이마, 볼 부위가 당기며, 잔주름이 많고 화장이 잘 들뜨는 피부유형은?

가. 복합성 피부　　나. 건성피부

다. 노화 피부　　라. 민감성 피부

18 피부관리에서 팩 사용 효과가 아닌 것은?

가. 수분 및 영양 공급　　나. 각질 제거

다. 치유 작용　　라. 피부 청정 작용

19 다음 중 피지선이 분포되어 있지 않은 부위는?

가. 손바닥　　나. 코

다. 가슴　　라. 이마

20 다음 중 원발진에 속하는 것은?

가. 수포, 반점, 인설

나. 수포, 균열, 반점

다. 반점, 구진, 결절

라. 반점, 가피, 구진

21 손톱, 발톱의 설명으로 틀린 것은?

가. 정상적인 손·발톱의 교체는 대략 6개월 가량 걸린다.

나. 개인에 따라 성장의 속도가 차이가 있지만 매일 1mm 가량 성장한다.

다. 손끝과 발끝을 보호한다.

라. 물건을 잡을 때 받침대 역할을 한다.

22 피부의 구조 중 콜라겐과 엘라스틴이 자리 잡고 있는 층은?

가. 표피　　나. 진피

다. 피하조직　　라. 기저층

23 다음 중 세포 재생이 더 이상 되지 않으며 기름샘과 땀샘이 없는 것은?

가. 흉터　　나. 티눈

다. 두드러기　　라. 습진

24 비듬이나 때처럼 박리현상을 일으키는 피부층은?

가. 표피의 기저층　　나. 표피의 과립층

다. 표피의 각질층　　라. 진피의 유두층

25 다음 중 각질이상에 의한 피부질환은?

가. 주근깨(작반)　　나. 기미(간반)

다. 티눈　　라. 리일 흑피증

26 다음 중 감염성 피부질환인 두부 백선의 병원체는?

가. 리케차　　나. 바이러스

다. 사상균　　라. 원생동물

27 다음 중 입모근과 가장 관련 있는 것은?

가. 수분 조절　　나. 체온 조절

다. 피지 조절　　라. 호르몬 조절

28 성장호르몬에 대한 설명으로 틀린 것은?

가. 분비 부위는 뇌하수체 후엽이다.
나. 기능 저하시 어린이의 경우 저신장증이 된다.
다. 기능으로는 골, 근육, 내장의 성장을 촉진한다.
라. 분비 과다시 어린이는 거인증, 성인의 경우 말단 비대증이 된다.

29 심장에 대한 설명 중 틀린 것은?

가. 성인 심장은 무게가 평균 250~300g 정도이다.
나. 심장은 심방중격에 의해 좌·우심방, 심실은 심실중격에 의해 좌·우심실로 나누어진다.
다. 심장은 2/3가 흉골 정중선에서 좌측으로 치우쳐 있다.
라. 심장근육은 심실보다는 심방에서 매우 발달되어 있다.

30 3대 영양소를 소화하는 모든 효소를 가지고 있으며, 인슐린(insulin)과 글루카곤(glucagon)을 분비하여 혈당량을 조절하는 기관은?

가. 췌장　　나. 간장
다. 담낭　　라. 충수

31 인체의 골격은 약 몇 개의 뼈(골)로 이루어지는가?

가. 약 206개　　나. 약 216개
다. 약 265개　　라. 약 365개

32 심장근을 무늬모양과 의지에 따라 분류하면 옳은 것은?

가. 횡문근, 수의근
나. 횡문근, 불수의근
다. 평활근, 수의근
라. 평활근, 불수의근

33 세포내 소기관 중에서 세포내의 호흡생리를 담당하고, 이화작용과 동화작용에 의해 에너지를 생산하는 기관은?

가. 미토콘드리아　　나. 리보솜
다. 리소좀　　라. 중심소체

34 신경계에 관한 내용 중 틀린 것은?

가. 뇌와 척수는 중추신경계이다.
나. 대뇌의 주요 부위는 뇌간, 간뇌, 중뇌, 교뇌 및 연수이다.
다. 척수로부터 나오는 31쌍의 척수신경은 말초신경을 이룬다.
라. 척수의 전각에는 감각신경세포가 그리고 후각에는 운동신경세포가 분포한다.

35 이온토포레시스(inontophoresis)의 주효과는?

가. 세균 및 미생물을 살균시킨다.
나. 고농축 유효성분을 피부 깊숙이 침투시킨다.
다. 셀룰라이트를 감소시킨다.
라. 심부열을 증가시킨다.

36 **고주파 사용 방법으로 옳은 것은?**

가. 스파킹(sparking)을 할 때는 거즈를 사용한다.
나. 스파킹을 할 때는 피부와 전극봉 사이의 간격을 7mm 이상으로 한다.
다. 스파킹을 할 때는 부도체인 합성섬유를 사용한다.
라. 스파킹을 할 때는 여드름용 오일을 면포에 도포한 후 사용한다.

37 **직류(Direct current)에 대한 설명으로 옳은 것은?**

가. 시간의 흐름에 따라 방향과 크기가 비대칭적으로 변한다.
나. 변압기에 의해 승압 또는 강압이 가능하다.
다. 정현파 전류가 대표적이다.
라. 지속적으로 한쪽 방향으로만 이동하는 전류의 흐름이다.

38 **우드램프 사용 시 피부에 색소침착을 나타내는 색깔은?**

가. 푸른색　　나. 보라색
다. 흰색　　라. 암갈색

39 **다음 중 피부 분석을 위한 기기가 아닌 것은?**

가. 고주파기　　나. 우드램프
다. 확대경　　라. 유분 측정기

40 **모세혈관 확장피부의 안면관리로 적당한 것은?**

가. 스티머(steamer)는 분무거리를 가까이 한다.
나. 왁스나 전기마스크를 사용하지 않도록 한다.
다. 혈관확장 부위는 안면진공흡입기를 사용한다.
라. 비타민P의 섭취를 피하도록 한다.

41 **화장품의 제형에 따른 특징의 설명이 틀린 것은?**

가. 유화제품 : 물에 오일성분이 계면활성제에 의해 우유 빛으로 백탁화된 상태의 제품
나. 유용화제품 : 물에 다량의 오일성분이 계면활성제에 의해 현탁하게 혼합된 상태의 제품
다. 분산제품 : 물 또는 오일 성분에 미세한 고체입자가 계면활성제에 의해 균일하게 혼합된 상태의 제품
라. 가용화제품 : 물에 소량의 오일성분이 계면활성제에 의해 투명하게 용해되어 있는 상태의 제품

42 **내가 좋아하는 향수를 구입하여 샤워 후 바디에 나만의 향으로 산뜻하고 상쾌함을 유지시키고자 한다면, 부향률은 어느 정도로 하는 것이 좋은가?**

가. 1~3%　　나. 3~5%
다. 6~8%　　라. 9~12%

43 대부분 O/W형 유화타입이며, 오일양이 적어 여름철에 많이 상하고 젊은 연령층이 선호하는 파운데이션은?

가. 크림 파운데이션
나. 파우더 파운데이션
다. 트윈 케이크
라. 리퀴드 파운데이션

44 보습제가 갖추어야 할 조건이 아닌 것은?

가. 다른 성분과 혼용성이 좋을 것
나. 휘발성이 있을 것
다. 적절한 보습능력이 있을 것
라. 응고점이 낮을 것

45 진달래과의 월귤나무의 잎에서 추출한 하이드로퀴논 배당체로 멜라닌 활성을 도와주는 티로시나아제 효소의 작용을 억제하는 미백화장품의 성분은?

가. 감마-오리자놀　　나. 알부틴
다. AHA　　라. 비타민 C

46 '피부에 재한 자극, 알러지, 독성이 없어야 한다'는 내용은 화장품의 4대 요건 중 어느 것에 해당하는가?

가. 안전성　　나. 안정성
다. 사용성　　라. 유효성

47 바디 관리 화장품이 가지는 기능과 가장 거리가 먼 것은?

가. 세정　　나. 트리트먼트
다. 연마　　라. 일소방지

48 다음 중 산업종사자와 직업병의 연결이 틀린 것은?

가. 광부 : 진폐증
나. 인쇄공 : 납중독
다. 용접공 : 규폐증
라. 항공정비사 : 난청

49 다음 중에서 접촉 감염지수(감수성지수)가 가장 높은 질병은?

가. 홍역　　나. 소아마비
다. 디프테리아　　라. 성홍열

50 인수공통 감염병에 해당하는 것은?

가. 천연두　　나. 콜레라
다. 디프테리아　　라. 공수병

51 매개곤충과 전파하는 감염병의 연결이 틀린 것은?

가. 쥐 : 유행성출혈열

나. 모기 : 일본뇌염

다. 파리 : 사상충

라. 쥐벼룩 : 페스트

52 다음 중 소독약품의 적정 희석농도가 틀린 것은?

가. 석탄산 : 3%　　나.승홍 : 0.1%

다. 알코올 : 70%　　라 크레졸 : 0.3%

53 병원성 또는 비병원성 미생물 및 아포를 가진 것을 전부 사멸 또는 제거하는 것을 무엇이라 하는가?

가. 멸균(Sterilization)　　나. 소독(Disinfection)

다. 방부(Antiseptic)　　라. 정균(Microbiostasis)

54 결핵환자의 객담 처리방법 중 가장 효과적인 것은?

가. 소각법　　나. 알콜소독

다. 크레졸소독　　라. 매몰법

55 자외선의 작용이 아닌 것은?

가. 살균 작용　　나. 비타민D 형성

다. 피부의 색소침착　　라. 아포 사멸

56 광역시 지역에서 이·미용업소를 운영하는 사람이 영업소의 소재지를 변경하고자 할 때의 조치사항으로 옳은 것은?

가. 시장에게 변경허가를 받아야 한다.

나. 관할 구청장에게 변경허가를 받아야 한다.

다. 시장에게 변경신고를 하면 된다.

라. 관할 구청장에게 변경신고를 하면 된다.

57 다음 중 이·미용영업에 있어 벌칙기준이 다른 것은?

가. 영업신고를 하지 아니한 자

나. 영업소 폐쇄명령을 받고도 계속하여 영업을 한 자

다. 일부 시설의 사용중지 명령을 받고 그 기간 중에 영업을 한 자

라. 면허가 취소된 후 계속하여 업무를 행한 자

58 1회용 면도날을 2인 이상 손님에게 사용한 때의 1차 위반 행정처분기준은?

가. 경고　　나. 영업정지 5일

다. 영업정지 10일　　라. 영업정지 1월

59 **이·미용사의 면허를 받을 수 없는 사람은?**

가. 전문대학 또는 이와 동등 이상의 학력이 있다고 교육과학기술부장관이 인정하는 학교에서 이·미용에 관한 학과를 졸업한 자

나. 국가기술자격법에 의한 이·미용사 자격을 취득한 자

다. 교육과학기술부장관이 인정하는 고등기술학교에서 6월 이상 이·미용의 과정을 이수한 자

라. 고등학교 또는 이와 동등의 학력이 있다고 교육과학기술부장관이 인정하는 학교에서 이·미용에 관한 학과를 졸업한 자

60 **면허증 분실로 인해 재교부를 받았을 때, 잃어버린 면허를 찾은 경우 반납하여야 하는 기간은?**

가. 지체없이　　나. 7일

다. 30일　　라. 6개월

피부미용사 필기시험

2011년 제1회 시행

01 딥 클렌징에 대한 설명으로 틀린 것은?

가. 제품으로 효소, 스크럽 등을 사용할 수 있다.

나. 여드름성 피부나 지성피부는 주 3회 이상 하는 것이 효과적이다.

다. 피부 노폐물을 제거하고 피지의 분비를 조절하는데 도움이 된다.

라. 건성, 민감성 피부는 2주에 1회 정도가 적당하다.

02 우드램프에 의한 피부의 분석 결과 중 틀린 것은?

가. 흰색 : 죽은 세포와 각질층의 피부

나. 연한 보라색 : 건조한 피부

다. 오렌지색 : 여드름, 피지, 지루성피부

라. 암갈색 : 산화된 피지

03 매뉴얼 테크닉 작업 시 주의사항으로 옳은 것은?

가. 동작은 강하게 하여 경직된 근육을 이완시킨다.

나. 속도는 빠르게 하여 고객에게 심리적인 안정을 준다.

다. 손동작은 머뭇거리지 않도록 하며 손목이나 손가락의 움직임은 유연하게 한다.

라. 매뉴얼 테크닉을 할 때는 반드시 마사지 크림을 사용하여 시술한다.

04 피부타입과 화장품과의 연결이 틀린 것은?

가. 지성피부 : 유분이 적은 영양 크림

나. 정상피부 : 영양과 수분 크림

다. 민감피부 : 지성용 데이 크림

라. 건성피부 : 유분과 수분 크림

05 **다음 중 당일 적용한 피부관리내용을 고객카드에 기록하고 자가관리방법을 조언하는 단계는?**

가. 피부관리 계획 단계
나. 피부분석 및 진단 단계
다. 트리트먼트(Treatment) 단계
라. 마무리 단계

06 **매뉴얼 테크닉의 효과와 가장 거리가 먼 것은?**

가. 피부의 흡수 능력을 확대시킨다.
나. 심리적 안정감을 준다.
다. 혈액의 순환을 촉진한다.
라. 여드름이 정리된다.

07 **일시적인 제모방법에 해당되지 않는 것은?**

가. 제모크림 나. 왁스
다. 전기응고술 라. 족집게

08 **천연팩에 대한 설명 중 틀린 것은?**

가. 사용할 횟수를 모두 계산하여 미리 만들어 준비해둔다.
나. 신선한 무공해 과일이나 야채를 이용한다.
다. 만드는 방법과 사용법을 잘 숙지한 다음 제조한다.
라. 재료의 혼용 시 각 재료의 특성을 잘 파악한 다음 사용하여야 한다.

09 **클렌징에 대한 설명으로 가장 거리가 먼 것은?**

가. 피부 노폐물과 더러움을 제거한다.
나. 피부 호흡을 원활히 하는데 도움을 준다.
다. 피부 신진대사를 촉진한다.
라. 피부 산성막을 파괴하는데 도움을 준다.

10 **딥 클렌징 관리 시 유의사항 중 옳은 것은?**

가. 눈의 점막에 화장품이 들어가지 않도록 조심한다.
나. 딥 클렌징한 피부를 자외선에 직접 노출시킨다.
다. 흉터 재생을 위하여 상처부위를 가볍게 문지른다.
라. 모세혈관 확장 피부는 부적용증에 해당하지 않는다.

11 **기초화장품의 사용목적 및 효과와 가장 거리가 먼 것은?**

가. 피부의 청결 유지
나. 피부 보습
다. 잔주름, 여드름 방지
라. 여드름의 치료

12 **림프드레나지 기법 중 손바닥 전체 또는 엄지손가락을 피부 위에 올려놓고 앞으로 나선형으로 밀어내는 동작은?**

가. 정지 상태 원 동작

나. 펌프 기법

다. 퍼올리기 동작

라. 회전 동작

13 **제모관리 중 왁싱에 대한 내용과 가장 거리가 먼 것은?**

가. 겨드랑이 및 입술 주위의 털을 제거 시에는 하드왁스를 사용하는 것이 좋다.

나. 콜드왁스(cold wax)는 데울 필요가 없지만 온왁스(warm wax)에 비해 제모능력이 떨어진다.

다. 왁싱은 레이저를 이용한 제모와는 달리 모유두의 모모세포를 퇴행시키지 않는다.

라. 다리 및 팔 등의 넓은 부위의 털을 제거할 때에는 부직포 등을 이용한 온왁스가 적합하다.

14 **온열 석고마스크의 효과가 아닌 것은?**

가. 열을 내어 유효성분을 피부 깊숙이 흡수시킨다.

나. 혈액순환을 촉진시켜 피부에 탄력을 준다.

다. 피지 및 노폐물 배출을 촉진한다.

라. 자극 받은 피부에 진정효과를 준다.

15 **신체 각 부위별 매뉴얼 테크닉을 하는 경우 고려해야 할 유의사항과 가장 거리가 먼 것은?**

가. 피부나 근육, 골격에 질병이 있는 경우는 피한다.

나. 피부에 상처나 염증이 있는 경우는 피한다.

다. 너무 피곤하거나 생리중일 경우는 피한다.

라. 강한 압으로 매뉴얼테크닉을 오래하여야 한다.

16 **피부미용의 목적이 아닌 것은?**

가. 노화예방을 통하여 건강하고 아름다운 피부를 유지한다.

나. 심리적, 정신적 안정을 통해 피부를 건강한 상태로 유지시킨다.

다. 분장, 화장 등을 이용하여 개성을 연출한다.

라. 질환적 피부를 제외한 피부에 관리를 통해 상태를 개선시킨다.

17 **클렌징 과정에서 제일 먼저 클렌징을 해야 할 부위는?**

가. 볼 부위 나. 눈 부위

다. 목 부위 라. 턱 부위

18 **피부분석을 하는 목적은?**

가. 피부분석을 통해 고객의 라이프스타일을 파악하기 위해서

나 피부의 증상과 원인을 파악하여 올바른 피부관리를 하기 위해서

다. 피부의 증상과 원인을 파악하여 의학적 치료를 하기 위해서

라. 피부분석을 통해 운동처방을 하기 위해서

19 **다음 중 적외선에 관한 설명으로 옳지 않은 것은?**

가. 혈류의 증가를 촉진시킨다.

나. 피부에 생성물을 흡수되도록 돕는 역할을 한다.

다. 노화를 촉진시킨다.

라. 피부에 열을 가하여 피부를 이완시키는 역할을 한다.

20 **다음 중 자외선이 피부에 미치는 영향이 아닌 것은?**

가. 색소침착 나. 살균효과

다. 홍반형성 라. 비타민A 합성

21 **피부에 있어 색소세포가 가장 많이 존재하고 있는 곳은?**

가. 표피의 각질층 나. 표피의 기저층

다. 진피의 유두층 라. 진피의 망상층

22 **우리피부의 세포가 기저층에서 생성되어 각질세포로 변화하여 피부표면으로부터 떨어져 나가는데 걸리는 기간은?**

가. 대략 60일 나. 대략 28일

다. 대략 120일 라. 대략 280일

23 **사춘기 이후에 주로 분비가 되며, 모공을 통하여 분비되어 독특한 체취를 발생시키는 것은?**

가. 소한선 나. 대한선

다. 피지선 라. 갑상선

24 **피지선에 대한 설명으로 틀린 것은?**

가. 피지를 분비하는 선으로 진피 중에 위치한다.

나. 피지선은 손바닥에는 없다.

다. 피지의 1일 분비량은 10~20g 정도이다.

라. 피지선이 많은 부위는 코 주위이다.

25 **체내에 부족하면 괴혈병을 유발시키며, 피부와 잇몸에서 피가 나오게 하고 빈혈을 일으켜 피부를 창백하게 하는 것은?**

가. 비타민A 나. 비타민B_2

다. 비타민C 라. 비타민K

26 한선에 대한 설명 중 틀린 것은?

가. 체온 조절기능이 있다.
나. 진피와 피하지방 조직의 경계부위에 위치한다.
다. 입술을 포함한 전신에 존재한다.
라. 에크린선과 아포크린선이 있다.

27 피부의 기능이 아닌 것은?

가. 보호작용 나. 체온조절작용
다. 비타민A 합성작용 라. 호흡작용

28 혈액 중 혈액응고에 주로 관여하는 세포는?

가. 백혈구 나. 적혈구
다. 혈소판 라. 헤마토크리트

29 눈살을 찌푸리고 이마에 주름을 짓게 하는 근육은?

가. 구륜근 나. 안륜근
다. 추미근 라. 이근

30 피질의 세포 중 전해질 및 수분대사에 관여하는 염류피질 호르몬을 분비하는 세포군은?

가. 속상대 나. 사구대
다. 망상대 라. 경팽대

31 뇌신경과 척수신경은 각각 몇 쌍인가?

가. 뇌신경 : 12, 척수신경 : 31
나. 뇌신경 : 11, 척수신경 : 31
다. 뇌신경 : 12, 척수신경 : 30
라. 뇌신경 : 11, 척수신경 : 30

32 다음 중 간의 역할에 가장 적합한 것은?

가. 소화와 흡수촉진
나. 담즙의 생성과 분비
다. 음식물의 역류방지
라. 부신피질호르몬생산

33 두개골(skull)을 구성하는 뼈로 알맞은 것은?

가. 미골 나. 늑골
다. 사골 라. 흉골

34 물질이동 시 물질을 이루고 있는 입자들이 스스로 운동하여 농도가 높은 곳에서 낮은 곳으로 액체나 기체 속을 분자가 퍼져나가는 현상은?

가. 능동수송　　나. 확산
다. 삼투　　라. 여과

35 전류에 대한 설명이 틀린 것은?

가. 전류의 방향은 도선을 따라 (+)극에서 (-)극쪽으로 흐른다.
나. 전류는 주파수에 따라 초음파, 저주파, 중주파, 고주파 전류로 나뉜다.
다. 전류의 세기는 1초 동안 도선을 따라 움직이는 전하량을 말한다.
라. 전자의 방향과 전류의 방향은 반대이다.

36 미용기기로 사용되는 진공흡입기(vacuum or suction)와 관련이 없는 것은?

가. 피부에 적절한 자극을 주어 피부기능을 왕성하게 한다.
나. 피지제거, 불순물제거에 효과적이다.
다. 민감성피부나 모세혈관 확장증에 적용하면 좋은 효과가 있다.
라. 혈액순환촉진, 림프순환촉진에 효과가 있다.

37 확대경에 대한 설명으로 틀린 것은?

가. 피부상태를 명확히 파악하게 하여 정확한 관리가 이루어지도록 해준다.
나. 확대경을 켠 후 고객의 눈에 아이패드를 착용시킨다.
다. 열린 면포 또는 닫힌 면포 등을 제거할 때 효과적으로 이용할 수 있다.
라. 세안 후 피부분석 시 아주 작은 결점도 관찰할 수 있다.

38 갈바닉 전류의 음극에서 생성되는 알카리를 이용하여 피부표면의 피지와 모공속의 노폐물을 세정하는 방법은?

가. 이온토포레시스
나. 리프팅트리트먼트
다. 디스인크러스테이션
라. 고주파트리트먼트

39 다음 중 pH의 옳은 설명은?

가. 어떤 물질의 용액 속에 들어있는 수소이온의 농도를 나타낸다.
나. 어떤 물질의 용액 속에 들어있는 수소분자의 농도를 나타낸다.
다. 어떤 물질의 용액 속에 들어있는 수소이온의 질량을 나타낸다.
라. 어떤 물질의 용액 속에 들어있는 수소분자의 질량을 나타낸다.

40 **우드램프 사용 시 지성부위의 코메도(co-medo)는 어떤 색으로 보이는가?**

가. 흰색형광　　나. 밝은 보라
다. 노랑 또는 오렌지　　라. 자주색형광

41 **손을 대상으로 하는 제품 중 알콜을 주 베이스로 하며, 청결 및 소독을 주된 목적으로 하는 제품은?**

가. 핸드워시(Hand wash)
나. 새니타이저(sanitizer)
다. 비누
라. 핸드크림

42 **클렌징 크림의 설명으로 맞지 않은 것은?**

가. 메이크업 화장을 지우는데 사용한다.
나. 클렌징 로션보다 유성성분 함량이 적다.
다. 피지나 기름때와 같은 물에 잘 닦이지 않는 오염물질을 닦아내는데 효과적이다.
라. 깨끗하고 촉촉한 피부를 위해서 비누로 세정하는 것보다 효과적이다.

43 **미백화장품에 사용되는 원료가 아닌 것은?**

가. 알부틴　　나. 코직산
다. 레티놀　　라. 비타민C 유도체

44 **다음 중 여드름의 발생 가능성이 가장 적은 화장품 성분은?**

가. 호호바 오일
나. 라놀린
다. 미네랄 오일
라. 이소프로필 팔미테이트

45 **캐리어 오일로서 부적합한 것은?**

가. 미네랄 오일　　나. 살구씨 오일
다. 아보카도 오일　　라. 포도씨 오일

46 **다음 중 화장품의 사용되는 주요 방부제는?**

가. 에탄올
나. 벤조산
다. 파라옥시안식향산메칠
라. BHT

47 **수름개선 기능성 화상품의 효과와 가장 거리가 먼 것은?**

가. 피부탄력 강화
나. 콜라겐 합성 촉진
다. 표피 신진대사 촉진
라. 섬유아세포 분해 촉진

48 공중보건학의 정의로 가장 적합한 것은?

가. 질병예방, 생명연장, 질병치료에 주력하는 기술이며 과학이다.
나. 질병예방, 생명유지, 조기치료에 주력하는 기술이며 과학이다.
다. 질병의 조기발견, 조기예방, 생명연장에 기술이며 과학이다.
라. 질병예방, 생명연장, 건강증진에 주력하는 기술이며 과학이다.

49 성층권의 오존층을 파괴시키는 대표적인 가스는?

가. 아황산가스　　나. 일산화탄소
다. 이산화탄소　　라. 염화불화탄소

50 기생충과 중간숙주의 연결이 틀린 것은?

가. 광절열두조충증 : 물벼룩, 송어
나. 유구조충증 : 오염된 풀, 소
다. 폐흡충증 : 민물게, 가재
라. 간흡충증 : 쇠우렁, 잉어

51 질병발생의 3대 요인이 옳게 구성된 것은?

가. 병인, 숙주, 환경　　나. 숙주, 감염력, 환경
다. 감염력, 연령, 인종　　라. 병인, 환경, 감염력

52 다음 중 소독에 영향을 가장 적게 미치는 인자는?

가. 온도　　나. 대기압
다. 수분　　라. 시간

53 다음 중 넓은 지역의 방역용 소독제로 적당한 것은?

가. 석탄산　　나. 알코올
다. 과산화수소　　라. 역성비누액

54 100도씨 이상 고온의 수증기를 고압상태에서 미생물, 포자 등과 접촉시켜 멸균할 수 있는 것은?

가. 자외선 소독기　　나. 건열 멸균기
다. 고압증기 멸균기　　라. 자비소독기

55 모기를 매개곤충으로 하여 일으키는 질병이 아닌 것은?

가. 말라리아　　나. 사상충염
다. 일본뇌염　　라. 발진티푸스

56 이·미용업소에서 손님이 보기 쉬운 곳에 게시하지 않아도 되는 것은?

가. 개설자의 면허증원본

나. 신고증

다. 사업자 등록증

라. 이·미용 요금표

57 이·미용사의 면허를 받기 위한 자격요건으로 틀린 것은?

가. 교육과학기술부장관이 인정하는 고등기술학교에서 1년 이상 이·미용에 관한 소정의 과정을 이수한 자

나. 이·미용에 관한 업무에 3년 이상 종사한 경험이 있는 자

다. 국가기술자격법에 의한 이·미용사의 자격을 취득한 자

라. 전문대학에서 이·미용에 관한 학과를 졸업한 자

58 영업정지 처분을 받고 그 영업정지기간 중 영업을 한 때에 대한 1차 위반 시 행정처분기준은?

가. 영업정지 10일　　나. 영업정지 20일

다. 영업정지 1월　　라. 영업장 폐쇄명령

59 이·미용사의 면허증을 다른 사람에게 대여한 때의 법칙행정처분 조치사항으로 옳은 것은?

가. 시·도지사가 그 면허를 취소하거나 6월 이내의 기간을 정하여 업무정지를 명할 수 있다.

나. 시·도지사가 그 면허를 취소하거나 1년 이내의 기간을 정하여 업무정지를 명할 수 있다.

다. 시장·군수·구청장은 그 면허를 취소하거나 6월 이내의 기간을 정하여 업무정지를 명할 수 있다.

라. 시장·군수·구청장은 그 면허를 취소하거나 1년 이내의 기간을 정하여 업무정지를 명할 수 있다.

60 이·미용사는 영업소 외의 장소에는 이·미용업무를 할 수 없다. 그러나 특별한 사유가 있는 경우는 예외가 인정되는데 다음 중 특별한 사유에 해당하지 않는 것은?

가. 질병으로 영업소까지 나올 수 없는 자에 대한 이·미용

나. 혼례 기타 의식에 참여하는 자에 대하여 그 의식 직전에 행하는 이·미용

다. 긴급히 국외에 출타하는 자에 대한 이·미용

라. 시장·군수·구청장이 특별한 사정이 있다고 인정하는 경우에 행하는 이·미용

피부미용사필기시험

2011년 제2회 시행

01 클렌징 제품에 대한 설명이 틀린 것은?

가. 클렌징 밀크는 o/w 타입으로 친유성이며 건성, 노화, 민감성 피부에만 사용할 수 있다.

나. 클렌징 오일은 일반 오일과 다르게 물에 용해되는 특성이 있고 탈수 피부, 민감성 피부, 악건성피부에 사용하면 효과적이다.

다. 비누는 사용 역사가 가장 오래된 클렌징 제품이고 종류가 다양하다.

라. 클렌징 크림은 친유성과 친수성이 있으며 친유성은 반드시 이중 세안을 해서 클렌징 제품이 피부에 남아 있지 않도록 해야 한다.

02 딥 클렌징의 효과와 가장 거리가 먼 것은?

가. 모공의 노폐물 제거

나. 화장품의 피부 흡수를 도와줌

다. 노화된 각질제거

라. 심한 민감성 피부의 민감도 완화

03 팩의 제거방법에 따른 분류가 아닌 것은?

가. 티슈 오프 타입(Tissue off type)

나. 석고 마스크 타입(gypsum mask type)

다. 필 오프 타입(Peel off type)

라. 워시 오프 타입(Wash off type)

04 클렌징 시술에 대한 내용 중 틀린 것은?

가. 포인트 메이크업 제거 시 아이 & 립 메이크업 리무버를 사용한다.

나. 방수(waterproot) 마스카라를 한 고객의 경우에는 오일 성분의 아이메이크업 리무버를 사용하는 것이 좋다.

다. 클렌징 동작 중 원을 그리는 동작은 얼굴의 위를 향할 때 힘을 빼고 내릴 때는 힘을 준다.

라. 클렌징 동작은 근육결에 따르고, 머리쪽을 향하게 하는 것에 유념한다.

05 **피부분석표 작성 시 피부표면의 혈액순환 상태에 따른 분류표시가 아닌 것은?**

가. 홍반피부(erythrosis skin)

나. 심한홍반피부(couper ose skin)

다. 주사성피부(rosacea skin)

라. 과색소피부(Hyper pigmentat ion skin)

06 **신체 각 부위 관리에서 매뉴얼테크닉의 효과와 가장 거리가 먼 것은?**

가. 혈액순환 및 림프순환 촉진

나. 근육의 이완 및 강화

다. 피부의 염증과 홍반증상의 예방

라. 심리적 안정감을 통한 스트레스 해소

07 **화장수의 도포 목적 및 효과로 옳은 것은?**

가. 피부 본래의 정상적인 pH 밸런스를 맞추어 주며 다음 단계에 사용할 화장품의 흡수를 용이하게 한다.

나. 죽은 각질세포를 쉽게 박리시키고 새로운 세포 형성촉진을 유도한다.

다. 혈액순환을 촉진시키고 수분 증발을 방지하여 보습효과가 있다.

라. 항상 피부를 pH 5.5 약산성으로 유지시켜 준다.

08 **피부미용의 역사에 대한 설명 중 옳은 것은?**

가. 르네상스시대-비누의 사용이 보편화

나. 이집트 시대-약초스팀법 개발

다. 로마시대-향수, 오일, 화장이 생활의 필수품으로 등장

라. 중세시대-매뉴얼테크닉 크림 개발

09 **다음 중 피부미용에서의 딥 클렌징에 속하지 않는 것은?**

가. 스크럽　　나. 엔자임

다. AHA　　라. 크리스탈 필

10 **피부유형을 결정하는 요인이 아닌 것은?**

가. 얼굴형　　나. 피부조직

다. 피지분비　　라. 모공

11 **매뉴얼테크닉의 효과와 가장 거리가 먼 것은?**

가. 혈액순환 촉진

나. 피부결의 연화 및 개선

다. 심리적 안정

라. 주름 개선

12 일시적 제모에 해당하지 않는 것은?

가. 족집게매뉴얼테크닉
나. 제모용 크림
다. 왁싱
라. 레이저 제모

13 팩에 대한 내용 중 적합하지 않는 것은?

가. 건성피부에는 진흙 팩이 적합하다.
나. 팩은 사용목적에 따른 효과가 있어야 한다.
다. 팩 재료는 부드럽고 바르기 쉬워야 한다.
라. 팩의 사용에 있어서 안전하고 독성이 없어야 한다.

14 카르테(고객카드) 작성에 반드시 기입되어야 할 사항과 가장 거리가 먼 것은?

가. 성명, 생년월일, 주소, 전화번호
나. 직업, 가족사항, 환경, 기호식품
다. 건강상태, 정신상태, 병력, 화장품
라. 취미, 특기사항, 재산정도

15 림프드레나지의 주대상이 되지 않는 피부는?

가. 모세혈관 확장피부
나. 튼 피부
다. 감염성 피부
라. 부종이 있는 셀룰라이트 피부

16 안면관리 시 제품의 도포 순서로 가장 바르게 연결된 것은?

가. 엠플-로션-에센스-크림
나. 크림-에센스-앰플-로션
다. 에센스-로션-앰플-크림
라. 앰플-에센스-로션-크림

17 셀룰라이트(celluite)에 대한 설명 중 틀린 것은?

가. 오렌지 껍질 피부모양으로 표현된다.
나. 주로 여성에게 많이 나타난다.
다. 주로 허벅지, 둔부, 상완 등에 많이 나타나는 경향이 있다.
라. 스트레스가 주원인이다.

18 다리 제모의 방법으로 틀린 것은?

가. 머슬린천을 이용할 때는 수직으로 세워서 떼어낸다.
나. 대퇴부는 윗부분부터 밑 부분으로 각 길이를 이등분 정도 나누어 내려가며 실시한다.
다. 무릎부위는 세워놓고 실시한다.
라. 종아리는 고객을 엎드리게 한 후 실시한다.

19 피부의 색소와 관계가 가장 먼 것은?

가. 에크린　　나. 멜라닌
다. 카로틴　　라. 헤모글로빈

20 다음 중 땀샘의 역할이 아닌 것은?

가. 체온 조절　　나. 분비물 배출
다. 땀 분비　　라. 피지 분비

21 피부 각질형성세포의 일반적 각화 주기는?

가. 약 1주　　나. 약 2주
다. 약 3주　　라. 약 4주

22 콜라겐과 엘라스틴이 주성분으로 이루어진 피부조직은?

가. 표피상층　　나. 표피하층
다. 진피조직　　라. 피하조직

23 어부들에게 피부의 노화가 조기에 나타나는 가장 큰 원인은?

가. 생선을 너무 많이 섭취하여서
나. 햇볕에 많이 노출되어서
다. 바다에 오존(O_3)성분이 많아서
라. 바다의 일에 과로하여서

24 광노화현상이 아닌 것은?

가. 표피두께 증가
나. 멜라닌세포 이상항진
다. 체내 수분 증가
라. 진피내의 모세혈관 확장

25 피부의 천연보습인자(NMF)의 구성성분 중 가장 많은 분포를 나타내는 것은?

가. 아미노산
나. 요소
다. 피롤리돈 카르본산
라. 젖산염

26 표피에서 촉감을 감지하는 세포는?

가. 멜라닌(Melanin)세포
나. 머켈(Merkel)세포
다. 각질형성(keratinization)세포
라. 랑게르한스(Langerhans)세포

27 우리 몸의 대사과정에서 배출되는 노폐물, 독소 등이 배설되지 못하고 피부조직에 남아 비만으로 보이며 림프순환이 원인인 피부현상은?

가. 쿠퍼로제　　나. 켈로이드
다. 알레르기　　라. 셀룰라이트

28 담즙을 만들며, 포도당을 글리코겐으로 저장하는 소화기관은?

가. 간 나. 위
다. 충수 라. 췌장

29 세포막을 통한 물질이동방법 중 수동적 방법에 해당하는 것은?

가. 음세포작용 나. 능동수송
다. 확산 라. 식세포작용

30 중추신경계는 어떻게 구성되어 있나?

가. 중뇌와 대뇌 나. 뇌와 척수
다. 교감신경과 뇌간 라. 뇌간과 척수

31 다음 중 배부(back)의 근육이 아닌 것은?

가. 승모근 나. 광배근
다. 견갑거근 라. 비복근

32 골격계에 대한 설명 중 옳지 않은 것은?

가. 인체의 골격은 약 206개의 뼈로 구성된다.
나. 체중의 약 20%를 차지하며 골, 연골, 관절 및 인대를 총칭한다.
다. 기관을 둘러싸서 내부 장기를 외부의 충격으로부터 보호한다.
라. 골격에서는 혈액세포를 생성하지 않는다.

33 다리의 혈액순환 이상으로 피부 밑에 형성되는 검푸른 상태를 무엇이라 하는가?

가. 혈관축소 나. 심박동 증가
다. 하지장맥류 라. 모세혈관확장증

34 남성의 2차 성장에 영향을 주는 성스테로이드 호르몬으로 두정부 모발의 발육을 억제시키고 피지분비를 촉진시키는 것은?

가. 알도스테론(aldosterone)
나. 에스트로겐(estrogen)
다. 테스토스테론(testosterone)
라. 프로게스테론(progesterone)

35 고형의 파라핀을 녹이는 파라핀기의 적용 범위가 아닌 것은?

가. 손 관리 나. 혈액순환 촉진
다. 살균 라. 팩 관리

36 컬러테라피의 색상 중 활력, 세포재생, 신경긴장완화, 호르몬대사조절 효과를 나타내는 것은?

가. 주황색　　나. 노란색
다. 보라색　　라. 초록색

37 다음 중 전류와 관련된 설명으로 가장 거리가 먼 것은?

가. 전류의 세기는 1초에 한 점을 통과하는 전하량으로 나타낸다.
나. 전류의 단위로는 A(암페어)를 사용한다.
다. 전류는 전압과 저항이라는 두 개의 요소에 의한다.
라. 전류는 낮은 전류에서 높은 전류로 흐른다.

38 브러시(프리마톨)의 사용방법으로 틀린 것은?

가. 브러시는 피부에 90도 각도로 사용한다.
나. 건성 민감성 피부는 빠른 회전수로 사용한다.
다. 회전속도는 얼굴은 느리게, 신체는 빠르게 한다.
라. 사용 후에는 즉시 중성 세제로 깨끗하게 한다.

39 피부미용기기의 부적용과 가장 거리가 먼 경우는?

가. 임산부
나. 알레르기, 피부상처, 피부질병이 진행 중인 경우
다. 지성피부
라. 치아, 뼈, 보철 등 몸속에 금속 장치를 지닌 경우

40 피부분석 시 사용하는 기기가 아닌 것은?

가. pH 측정기　　나. 우드램프
다. 초음파기기　　라. 확대경

41 다음 중 옳은 것만을 모두 짝지은 것은?

A. 자외선 차단제에는 물리적 차단제와 화학적 차단제가 있다.
B. 물리적 차단제에는 벤조페논, 옥시벤존, 옥틸디메칠파바 등이 있다.
C. 화학적 차단제는 피부에 유해한 자외선을 흡수하여 피부침투를 차단하는 방법이다.
D. 물리적 차단제는 자외선이 피부에 흡수되지 못하도록 피부 표면에서 빛을 반사 또는 산란 시키는 방법이다.

가. A, B, C　　나. A, C, D
다. A, B, D　　라. B, C, D

42 화장품 제조의 3가지 주요기술이 아닌 것은?

가. 가용화 기술　　나. 유화 기술
다. 분산 기술　　라. 용융 기술

43 에센셜 오일을 추출하는 방법이 아닌 것은?

가. 수증기 증류법　　나. 혼합법
다. 압착법　　라. 용제 추출법

44 기능성 화장품류의 주요 효과가 아닌 것은?

가. 피부 주름개선에 도움을 준다.
나. 자외선으로부터 보호한다.
다. 피부를 청결이 하여 피부 건강을 유지한다.
라. 피부 미백에 도움을 준다.

45 다음 중 향료의 함유량이 가장 적은 것은?

가. 퍼퓸(Per fume)
나. 오데 토일렛(Eau de Toilet)
다. 샤워 코롱(Shower Cologne)
라. 오데 코롱(Eau de Cologne)

46 팩제의 사용목적이 아닌 것은?

가. 팩제가 건조하는 과정에서 피부에 심한 긴장을 준다.
나. 일시적으로 피부의 온도를 높여 혈액 순환을 촉진한다.
다. 노화한 각질층 등을 팩제와 함께 제거시키므로 피부 표면을 청결하게 한다.
라. 피부의 생리 기능에 적극적으로 작용하여 피부에 활력을 준다.

47 화장품에서 요구되는 4대 품질 특성이 아닌 것은?

가. 안전성　　나. 안정성
다. 보습성　　라. 사용성

48 통조림, 소시지 등 식품의 혐기성 상태에서 발육하여 신경독소를 분비하여 중독이 되는 식중독은?

가. 포도상구균 식중독
나. 솔라닌 독소형 식중독
다. 병원성 대장균 식중독
라. 보툴리누스균 식중독

49 실내 공기의 오염지표로 주로 측정되는 것은?

가. N_2　　나. NH_3
다. CO　　라. CO_2

50 관련법상 제2군에 해당되는 감염병은?

가. 황열 나. 풍진
다. 세균성이질 라. 장티푸스

51 예방접종에 있어서 디.피.티(D.P.T)와 무관한 질병은?

가. 디프테리아 나. 파상풍
다. 결핵 라. 백일해

52 훈증 소독법에 대한 설명 중 틀린 것은?

가. 분말이나 모래, 부식되기 쉬운 재질 등을 멸균할 수 있다.
나. 가스(gas)나 증기 (fume)를 사용한다.
다. 화학적 소독방법이다.
라. 위생해충 구제에 많이 이용된다.

53 100% 크레졸 비누액을 환자의 배설물, 토사물, 객담소독을 위한 소독용 크레졸 비누액 100mL로 조제하는 방법으로 가장 적합한 것은?

가. 크레졸 비누액 0.5mL+물 99.5 mL
나. 크레졸 비누액 3mL+물 97 mL
다. 크레졸 비누액 10mL+물 90 mL
라. 크레졸 비누액 50mL+물 50 mL

54 질병 발생의 3대 요소가 아닌 것은?

가. 병인 나. 환경
다. 숙주 라. 시간

55 화학약품으로 소독 시 약품의 구비조건이 아닌 것은?

가. 살균력이 있을 것
나. 부식성, 표백성이 없을 것
다. 경제적이고 사용방법이 간편할 것
라. 용해성이 낮을 것

56 손님의 얼굴, 머리, 피부 등에 손질을 통하여 손님의 외모를 아름답게 꾸미는 영업에 해당하는 것은?

가. 미용업
나. 피부미용업
다. 메이크업
라. 종합미용업

57 변경신고를 하지 아니하고 영업소의 소재지를 변경한 때의 1차 위반 행정처분기준은?

가. 영업정지 1월
나. 영업정지 2월
다. 영업장 폐쇄명령
라. 영업허가 취소

58 이·미용업소에서 1회용 면도날을 손님 몇 명까지 사용할 수 있는가?

가. 1명 나. 2명
다. 3명 라. 4명

59 위생교육은 일 년에 몇 시간을 받아야 하는가?

가. 2시간 나. 3시간
다. 5시간 라. 6시간

60 다음 중 이·미용업무에 종사할 수 있는 자는?

가. 공인 이·미용학원에서 3개월 이상 이·미용에 관한 강습을 받은자
나. 이·미용업소에 취업하여 6개월 이상 이·미용에 관한 기술을 수습한 자
다. 이·미용업소에서 이. 미용사의 감독하에 이·미용업무를 보조하고 있는 자
라. 시장·군수·구청장이 보조원이 될 수 있다고 인정하는 자

피부미용사필기시험

2011년 제4회 시행

01 클렌징 로션에 대한 알맞은 설명은?

가. 사용 후 반드시 비누세안을 해야 한다.

나. 친유성 에멀젼(W/O타입)이다.

다. 눈화장, 입술화장을 지우는데 주로 사용한다.

라. 민감성 피부에도 적합하다.

02 세안에 대한 설명으로 틀린 것은?

가. 클렌징제의 선택이나 사용방법은 피부상태에 따라 고려되어야 한다.

나. 청결한 피부는 피부관리 시 사용되는 여러 영양성분의 흡수를 돕는다.

다. 피부표면은 PH 4.5~6.5로서 세균의 번식이 쉬워 문제 발생이 잘 되므로 세안을 잘해야 한다.

라. 세안은 피부관리에 있어서 가장 먼저 행하는 과정이다.

03 딥 클렌징의 대상으로 적합하지 않은 것은?

가. 모세혈관 확장피부

나. 모공이 넓은 지성피부

다. 비염증성 여드름피부

라. 잔주름이 많은 건성피부

04 다음 중 물리적인 딥 클렌징이 아닌 것은?

가. 스크럽제

나. 브러쉬(프리마톨)

다. AHA(alpha hydroxy acid)

라. 고마쥐

05 피부유형에 맞는 화장품 선택이 아닌 것은?

가. 건성피부 : 유분과 수분이 많이 함유된 화장품

나. 민감성피부 : 향, 색소, 방부제를 함유하지 않거나 적게 함유된 화장품

다 지성피부 : 피지조절제가 함유된 화장품

라. 정상피부 : 오일이 함유되어 있지 않은 오일프리(oil free) 화장품

06 제모 시 유의사항이 아닌 것은?

가. 염증이나 상처, 피부질환이 있는 경우는 하지 말아야 한다.
나. 장시간의 목욕이나 사우나 직후는 피한다.
다. 제모 부위는 유분기와 땀을 제거한 다름 완전히 건조된 후 실시한다.
라. 제모한 부위는 즉시 물로 깨끗하게 씻어주어야 한다.

07 수요법(water trerapy, hydrotherapy) 시 지켜야 할 수칙이 아닌 것은?

가. 식사 직후에 행한다.
나. 수요법은 대개 5분에서 30분까지가 적당하다.
다. 수요법에 전에 잠깐 쉬도록 한다.
라. 수요법 후에는 물을 마시도록 한다.

08 파우더 타입의 머드팩에 대한 설명이 옳은 것은?

가. 유분은 공급하므로 노화, 재생관리가 필요한 피부에 사용
나. 피지를 흡착하고 살균, 소독 및 항염 작용이 있어 지성 및 여드름피부에 사용
다. 항염 작용이 있어 민감피부관리에 사용
라. 보습작용이 뛰어나 눈가나 입술관리에 사용

09 매뉴얼 테크닉의 종류 중 기본동작이 아닌 것은?

가. 두드리기(Tapotement)
나. 문지르기(Friction)
다. 흔들어주기(Vibration)
라. 누르기(press)

10 매뉴얼 테크닉의 효과가 아닌 것은?

가. 내분비기능의 조절
나. 결체조직에 긴장과 탄력성 부여
다. 혈액순환촉진
라. 반사 작용의 억제

11 팩 사용 시 주의사항이 아닌 것은?

가. 피부타입에 맞는 팩제를 사용한다.
나. 잔주름 예방을 위해 눈 위에 직접 덧바른다.
다. 한방팩, 천연팩 등은 즉석에서 만들어 사용한다.
라. 안에서 바깥방향으로 바른다.

12 피부미용의 영역이 아닌 것은?

가. 신체 각 부위관리　나. 레이저 필링
다. 눈썹정리　라. 제모

13 **림프드레니지를 적용할 수 있는 경우에 해당되는 것은?**

가. 림프절이 심하게 부어있는 경우
나. 전염성의 문제가 있는 피부
다. 열이 있는 감기 환자
라. 여드름이 있는 피부

14 **신체 각 부위 매뉴얼 테크닉 방법에 대한 내용 중 틀린 것은?**

가. 규칙적인 리듬과 속도를 유지하면서 관리한다.
나. 전신에 대한 매뉴얼 테크닉은 강하면 강할수록 효과가 좋다.
다. 전신 매뉴얼 테크닉은 림프절이 흐르는 방향으로 실시한다.
라. 전신에 손바닥을 밀착시키고 체간(몸통)을 이용하여 관리한다.

15 **피부상담 시 고려해야 할 점으로 가장 거리가 먼 것은?**

가. 관리 시 생길 수 있는 만약의 경우에 대비하여 병력사항을 반드시 상담하고 기록해둔다.
나. 피부관리 유경험자의 경우 그동안의 관리 내용에 대해 상담하고 기록해 둔다.
다. 여드름을 비롯한 문제성 피부고객의 경우 과거 병원치료나 약물 치료의 경험이 있는지 기록해 두어 피부관리계획표 작성에 참고한다.
라. 필요한 제품을 판매하기 위해 고객이 사용하고 있는 화장품의 종류를 체크한다.

16 **매뉴얼 테크닉을 적용할 수 있는 경우는?**

가. 피부나 근육, 골격에 질병이 있는 경우
나. 골절상으로 인한 통증이 있는 경우
다. 염증성 질환이 있는 경우
라. 피부에 셀룰라이트(cellulite)가 있는 경우

17 **습포의 효과에 대한 내용과 가장 거리가 먼 것은?**

가. 온습포는 모공을 확장 시키는데 도움을 준다.
나. 온습포는 혈액순환촉진, 적절한 수분공급의 효과가 있다.
다. 냉습포는 모공을 수축시키며 피부를 진정시킨다.
라. 온습포는 팩 제거후, 사용하면 효과적이다.

18 **건성피부의 관리방법으로 가장 거리가 먼 것은?**

가. 알칼리성 비누를 이용하여 자주 세안을 한다.
나. 화장수는 알코올 함량이 적고 보습기능이 강화된 제품을 사용한다.
다. 클렌징 제품은 부드러운 밀크타입이나 유분기가 있는 크림타입을 선택하여 사용한다.
라. 세라마이드, 호호바 오일, 아보카드 오일, 알로에베라, 히아루론산 등의 성분이 함유된 화장품을 사용한다.

19 진피에 함유되어 있는 성분으로 우수한 보습능력을 지니어 피부관리 제품에도 많이 함유되어 있는 것은?

가. 알코올(alcohol) 나. 콜라겐(collagen)
다. 판테놀(panthenol) 라. 글리세린(glycerine)

20 인체에 있어 피지선이 전혀 없는 곳은?

가. 이마 나. 코
다. 귀 라. 손바닥

21 탄수화물에 대한 설명으로 옳지 않은 것은?

가. 당질이라고도 하며 신체의 중요한 에너지원이다.
나. 장에서 포도당, 과당 및 갈락토오스로 흡수된다.
다. 지나친 탄수화물의 섭취는 신체를 알카리성 체질로 만든다.
라. 탄수화물의 소화흡수율은 99%에 가깝다.

22 천연보습인자의 설명으로 틀린 것은?

가. NMF(natural moisturizing factor)
나. 피부수분보유량을 조절한다.
다. 아미노산, 젖산, 요소 등으로 구성되고 있다.
라. 수소이온농도의 지수유지를 말한다.

23 다음 중 피부표면의 PH에 가장 큰 영향을 주는 것은?

가. 각질 생성 나. 침의 분비
다. 땀의 분비 라. 호르몬의 분비

24 다음 중 표피층에 존재하는 세포가 아닌 것은?

가. 각질형성 세포 나. 멜라닌 세포
다. 랑게르한스 세포 라. 비만세포

25 피부의 기능에 대한 설명으로 틀린 것은?

가. 인체 내부 기관을 보호한다.
나. 체온조절을 한다.
다. 감각을 느끼게 한다.
라. 비타민B를 생성한다.

26 원주형의 세포가 단층으로 이어져 있으며 각질형성세포와 색소형성세포가 존재하는 피부세포층은?

가. 기저층 나. 투명층
다. 각질층 라. 유극층

27 **건강한 손톱에 대한 설명으로 틀린 것은?**

가. 바닥에 강하게 부착되어야 한다.

나. 단단하고 탄력이 있어야 한다.

다. 윤기가 흐르며 노란색을 띠어야 한다.

라. 아치모양을 형성해야 한다.

28 **골격계의 형태에 따른 분류로 옳은 것은?**

가. 장골(긴뼈) : 상완골(위팔뼈), 요골(노뼈), 척골(자뼈), 대퇴골(넙다리뼈), 경골(정강뼈), 비골(종아리뼈) 등

나. 단골(짧은뼈) : 슬개골(무릎뼈), 대퇴골(넙다리뼈), 두정골(마루뼈) 등

다. 편평골(납작뼈) : 척주골(척주뼈), 관골(광대뼈) 등

라. 종자골(종강뼈) : 전두골(이마뼈), 후두골(뒤통수뼈), 두정골(마루뼈), 견갑골(어깨뼈), 늑골(갈비뼈) 등

29 **성인의 척수신경은 모두 몇 쌍인가?**

가. 12쌍 나. 13쌍

다. 30쌍 라. 31쌍

30 **근육은 어떤 작용으로 움직일 수 있는가?**

가. 수축에 의해서만 움직인다.

나. 이완에 의해서만 움직인다.

다. 수축과 이완에 의해서 움직인다.

라. 성장에 의해서만 움직인다.

31 **인체에서 방어작용에 관여하는 세포는?**

가. 적혈구 나. 백혈구

다. 혈소판 라. 항원

32 **비뇨기계에서 배출기관의 순서를 바르게 표현한 것은?**

가. 신장-요관-요도-방광

나. 신장-요도-방광-요관

다. 신장-요관-방광-요도

라. 신장-방광-요도-요관

33 **폐에서 이산화탄소를 내보내고 산소를 받아들이는 역할을 수행하는 순환은?**

가. 폐순환 나. 체순환

다. 전신순환 라. 문맥순환

34 **다음 설명 중 틀린 내용은?**

가. 소화란 포도당을 산화하여 에너지를 생산하는 과정이다.

나. 소화한 탄수화물은 단당류로, 단백질은 아미노산 등으로 분해하는 과정이다.

다. 소화한 유기물들이 소장의 융모상피가 흡수할 수 있는 크기로 잘리는 과정을 말한다.

라. 소화계에는 입과 위, 소장은 물론 간과 췌장도 포함한다.

35 스티머 사용 시 주의해야 할 사항으로 틀린 것은?

가. 오존이 함께 장착되어 있는 경우 스팀이 나오기 전 오존을 미리 켜 두어야 한다.
나. 일관에 손상된 피부나 감염이 있는 피부에는 사용을 금한다.
다. 수조내부를 세제로 씻지 않도록 한다.
라. 물은 반드시 정수된 물을 사용하도록 한다.

36 전동브러시(Frimator)의 올바른 사용방법이 아닌 것은?

가. 모세혈관확장 피부에는 사용하지 않는다.
나. 브러시를 미지근한 물에 적신 후 사용한다.
다. 손목에 힘을 주어 눌러가며 돌려준다.
라. 사용한 브러시는 비눗물로 세척 후 물기를 제거하고 소독기로 소독한 후 보관한다.

37 고주파 전류의 주파수(진동수)를 측정하는 단위는?

가. W (와트) 나. A(암페어)
다. Ω(옴) 라. Hz(헤르츠)

38 갈바닉(galvanic)기기의 음극 효과로 틀린 것은?

가. 모공의 수축 나. 피부의 연화
다. 신경의 자극 라. 혈액공급의 증가

39 우드램프에 대한 설명으로 틀린 것은?

가. 피부 분석을 위한 기기이다.
나. 밝은 곳에서 사용하여야 한다.
다. 클렌징 한 후 사용하여야 한다.
라. 자외선을 이용한 기기이다.

40 진공흡입기(suction)의 효과로 틀린 것은?

가. 피부를 자극하여 한선과 피지선의 기능을 활성화시킨다.
나. 영양물질을 피부 깊숙이 침투시킨다.
다. 림프순환을 촉진하여 노폐물을 배출한다.
라. 면포나 피지를 제거한다.

41 캐리어 오일에 대항 설명으로 틀린 것은?

가. 캐리어는 운반이란 뜻으로 캐리어 오일은 마사지 오일을 만들 때 필요한 오일이다.
나. 베이스 오일이라고도 한다.
다. 에센셜 오일을 추출할 때 오일과 분류되어 나오는 증류액을 말한다.
라. 에센셜 오일의 향을 방해하지 않도록 향이 없어야 하고 피부흡수력이 좋아야 한다.

42 기능성 화장품에 해당되지 않는 것은?

가. 피부의 미백에 도움을 주는 제품
나. 인체에 비만도를 줄여주는데 도움을 주는 제품
다. 피부의 주름개선에 도움을 주는 제품
라. 피부를 곱게 태워주거나 자외선으로부터 피부를 보호하는데 도움을 주는 제품

43 **계면활성제에 대한 설명으로 옳은 것은?**

가. 계면활성제는 일반적으로 둥근 머리모양의 소수성기와 막대꼬리모양의 친수성기를 가진다.

나. 계면활성제의 피부에 대한 자극은 양쪽성 〉 양이온성 〉 음이온성 〉 비이온성의 순으로 감소한다.

다. 비이온성 계명활성제는 피부자극이 적어 화장수의 가용화제, 크림의 유화제, 클렌징 크림의 세정제 등에 사용된다.

라. 양이온성 계면활성제는 세정작용이 우수하여 비누, 샴푸 등에 사용된다.

44 **색소를 염료(dye) 와 안료(pigment)로 구분할 때 그 특징에 대해 잘못 설명되어진 것은?**

가. 염료는 메이크업 화장품을 만드는데 주로 사용된다.

나. 안료는 물과 오일에 모두 녹지 않는다.

다. 무기 안료는 커버력이 우수하고 유기안료는 빛, 산, 알칼리에 약하다.

라. 염료는 물이나 오일에 녹는다.

45 **팩의 분류에 속하지 않는 것은?**

가. 필 오프(peel-off)타입

나. 워시 오프(wash-off)타입

다. 패취(patch)타입

라. 워터(water)타입

46 **화장품의 분류와 사용목적, 제품이 일치하지 않는 것은?**

가. 모발 화장품-정발-헤어스프레이

나. 방향 화장품-향취부여-오데코롱

다. 메이크업 화장품-색채 부여-네일 에나멜

라. 기초화장품-피부정돈-클렌징 폼

47 **다음 중 냉각기에 의해 제조된 제품은?**

가. 립스틱　　나. 화장수

다. 아이섀도우　　라. 에센스

48 **보건행정의 제 원리에 관한 것으로 맞는 것은?**

가. 일반행정원리의 관리과정적 특성과 기획과정은 적용되지 않는다.

나. 의사결정과정에서 미래를 예측하고, 행동하기 전의 행동계획을 결정한다.

다. 보건행정에서는 생태학이나 역학적 고찰이 필요 없다.

라. 보건행정은 공중보건학에 기초한 과학적 기술이 필요하다.

49 **예방접종 중 세균의 독소를 약독화(순화)하여 사용하는 것은?**

가. 폴리오　　나. 콜레라

다. 장티푸스　　라. 파상풍

50 체온은 유지하는데 영향을 주는 온열인자가 아닌 것은?

가. 기온　　나. 기습
다. 복사열　　라. 기압

51 제3군 감염병이 아닌 것은?

가. 결핵　　나. B형 간염
다. 한센병　　라. 유행성 출혈열

52 무수알코올(100%)을 사용해서 70%의 알코올 1800 mL를 만드는 방법으로 옳은 것은?

가. 무수알코올 700 mL에 물 1100 mL 를 가한다.
나. 무수알코올 70 mL에 물 1730 mL를 가한다.
다. 무수알코올 1260 mL에 물 540 mL를 가한다.
라. 무수알코올 126 mL에 물 1674 mL를 가한다.

53 어떤 소독약의 석탄계수가 2.0이라는 것은 무엇을 의미하는가?

가. 석탄산의 살균력이 2이다.
나. 살균력이 석탄산의 2배이다.
다. 살균력이 석탄산의 2%이다.
라. 살균력이 석탄산의 120%이다.

54 다음 중 소독약의 구비조건으로 틀린 것은?

가. 인체에는 독성이 없어야 한다.
나. 소독물품에 손상이 없어야 한다.
다. 사용방법이 간단하고 경제적이어야 한다.
라. 소독실시 후 서서히 소독효력이 증대되어야한다.

55 자비소독 시 살균력을 강하게 하고 금속기자재가 녹스는 것을 방지하기 위하여 첨가하는 물질이 아닌 것은?

가. 2% 중조　　나. 2% 크레졸 비누액
다. 5% 승홍수　　라. 5% 석탄산

56 이·미용업소의 위생관리 의무를 지키지 아니한 자의 과태료 기준은?

가. 30만원 이하　　나. 50만원 이하
다. 100만원 이하　　라. 200만원 이하

57 공중위생업소의 위생서비스수준의 평가는 몇 년 마다 실시해야 하는가?

가. 매년　　나. 2년
다. 3년　　라. 4년

58 **공중위생업자에게 개선명령을 명할 수 없는 것은?**

가. 보건복지부령이 정하는 공중위생업의 종류별 시설 및 설비기준을 위반한 경우

나. 공중위생업자는 그 이용자에게 건강상 위해요인이 발생하지 아니하도록 영업 관련시설 및 설비를 위생적이고 안전하게 관리해야 하는 위생관리의무를 위반한 경우

다. 면도기는 1회용 면도날만을 손님 1인에 한하여 사용한 경우

라. 이·미용기구는 소독을 한 기구와 소독을 하지 아니한 기구로 분리하여 보관해야 하는 위생관리 의무를 위반한 경우

59 **이·미용사 면허를 받을 수 있는 자가 아닌 것은?**

가. 고등학교에서 이용 또는 미용에 관한 학과를 졸업한 자

나. 국가기술자격법에 의한 이용사 또는 미용사 자격을 취득한자.

다. 보건복지부 장관이 인정하는 외국인 이용사 또는 미용사 자격 소지자

라. 전문대학에서 이용 또는 미용에 관한 학과 졸업자

60 **영업허가 취소 또는 영업장 폐쇄명령을 받고도 계속하여 이·미용 영업을 하는 경우에 시장·군수·구청장이 취할 수 있는 조치가 아닌 것은?**

가, 당해 영업소의 간판 기타 영업표지물의 제거

나. 당해 영업소가 위법한 것임을 알리는 게시물 등의 부착

다. 영업을 위하여 필수불가결한 기구 또는 시설물을 사용할 수 없게 하는 봉인

라. 당해 영업소의 업주에 대한 손해배상 청구

피부미용사 필기시험

2011년 제5회 시행

01 짙은 화장을 지우는 클렌징 제품 타입으로 중성과 건성피부에 적합하며, 사용 후 이중세안을 해야 하는 것은?

가. 클렌징 크림　　나. 클렌징 로션
다. 클렌징 워터　　라. 클렌징 젤

02 클렌징에 대한 설명이 아닌 것은?

가. 피부의 피지, 메이크업 잔여물을 없애기 위한 작업이다.
나. 모공 깊숙이 있는 불순물과 피부 표면의 각질의 제거를 주목적으로 한다.
다. 제품 흡수를 효율적으로 도와준다.
라. 피부의 생리적인 기능을 정상적으로 도와준다.

03 마스크의 종류에 따른 사용목적이 틀린 것은?

가. 콜라겐 벨벳 마스크-진피 수분 공급
나. 고무 마스크-진정, 노폐물 흡착
다. 석고 마스크-영양 성분 침투
라. 머드 마스크-모공 청결, 피지 흡착

04 효소 필링 제의 사용법으로 가장 적합한 것은?

가. 도포한 후 약간 덜 건조된 상태에서 문지르는 동작으로 각질을 제거한다.
나. 도포한 후 효소의 작용을 촉진하기 위해 스티머나 온습포를 사용한다.
다. 도포한 후 완전하게 건조되면 젖은 해면을 이용하여 닦아낸다.
라. 도포한 후 피부 근육 결 방향으로 문지른다.

05 신체 각 부위별 관리에서 매뉴얼 테크닉의 적용이 적합하지 않은 것은?

가. 스트레스로 인해 근육이 경직된 경우
나. 림프 순환이 잘 안되어 붓는 경우
다. 심한 운동으로 근육이 뭉친 경우
라. 하체 부종이 심한 임산부의 경우

06 딥 클렌징에 대한 설명으로 가장 거리가 먼 것은?

가. 디스인크러스테이션은 주 2회 이상이 적당하다.
나. 효소 타입은 불필요한 각질을 분해하여 잔여물을 제거한다.
다. 디스인크러스테이션은 전기를 이용한 딥 클렌징 방법이다.
라. 예민피부는 브러쉬머신을 이용한 딥 클렌징을 삼가한다.

07 우리나라 피부미용 역사에서 혼례미용법이 발달하고, 세안을 위한 세제 등 목욕용품이 발달한 시대는?

가. 고조선 시대　　나. 삼국시대
다. 고려시대　　라. 조선시대

08 지성피부의 화장품적용 목적 및 효과로 가장 거리가 먼 것은?

가. 모공 수축　　나. 피지 분비 및 정상화
다. 유연 회복　　라. 항염, 정화 기능

09 다음 중 건성피부에 적용되는 화장품 사용법으로 가장 적합한 것은?

가. 낮에는 O/W형의 데이크림과 밤에는 W/O형의 나이트크림을 사용한다.
나. 강하게 탈지시켜 피지 샘 기능을 균형 있게 해주고 모공을 수축해주는 크림을 사용한다.
다. 봄, 여름에는 W/O크림을 사용하고 가을, 겨울에는 O/W크림을 사용한다.
라. 소량의 하이드로퀴논이 함유된 크림을 사용한다.

10 매뉴얼 테크닉의 효과에 해당하지 않는 것은?

가. 혈액 순환을 촉진시킨다.
나. 림프 순환을 촉진시킨다.
다. 근육의 긴장을 감소하고 피부 온도를 상승하여 기분을 좋게 한다.
라. 가슴과 복부 관리를 통해 생리 시, 임신 초기 또는 말기에 진정 효과를 준다.

11 여드름 피부에 관련된 설명으로 틀린 것은?

가. 여드름은 사춘기에 피지 분비가 왕성해지면서 나타나는 비염증성, 염증성 피부 발진이다.
나. 여드름은 사춘기에 일시적으로 나타나며 30대 정도에 모두 사라진다.
다. 다양한 원인에 의해 피지가 많이 생기고 모공 입구의 폐쇄로 인해 피지배출이 잘 되지 않는다.
라. 선천적인 체질상 체내 호르몬의 이상현상으로 지루성 피부에서 발생되는 여드름 형태는 심상성여드름이라 한다.

12 피부관리를 위한 피부 유형 분석의 시기로 가장 적합한 것은?

가. 최초 상담 전　　나. 트리트먼트 후
다. 클렌징이 끝난 후　　라. 마사지 후

13 팩의 목적 및 효과와 가장 거리가 먼 것은?

가. 피부의 혈행 촉진 및 청정 작용
나. 진정 및 수렴 작용
다. 피부 보습
라. 피하지방의 흡수 및 분해

14 피부관리 시 최종 마무리 단계에서 냉타올을 사용하는 이유로 가장 적합한 것은?

가. 고객을 잠에서 깨우기 위해서
나. 깨끗이 닦아내기 위해서
다. 모공을 열어주기 위해서
라. 이완된 피부를 수축시키기 위해서

15 다음 중 일시적 제모에 속하지 않는 것은?

가. 전기분해법을 이용한 제모
나. 족집게를 이용한 제모
다. 왁스를 이용한 제모
라. 화학 탈모제를 이용한 제모

16 림프드레니쥐의 주된 작용은?

가. 혈액순환과 신진대사 저하
나. 노폐물과 독소 물질을 림프절로 운반
다. 피부 조직 강화
라. 림프 순환 저하

17 웜 왁스를 이용하여 제모 하는 방법으로 옳은 것은?

가. 제모 전에는 로션을 발라 피부를 보호한다.
나. 왁스는 털이 난 방향으로 발라준다.
다. 왁스를 제거할 때는 천천히 떼어낸다.
라. 제모 후에는 온습포를 이용해 시술부위를 진정시킨다.

18 매뉴얼 테크닉의 쓰다듬기(effleurage) 동작에 대한 설명 중 맞는 것은?

가. 피부 깊숙이 자극하여 혈액순환을 증진한다.
나. 근육에 자극을 주기 위하여 깊고 지속적으로 누르는 방법이다.
다. 매뉴얼 테크닉의 시작과 마무리에 사용한다.
라. 손가락으로 가볍게 두드리는 방법이다.

19 다음 단면도에서 모발의 색상을 결정짓는 멜라닌 색소를 함유하고 있는 모피질(毛皮質 : cortex)은?

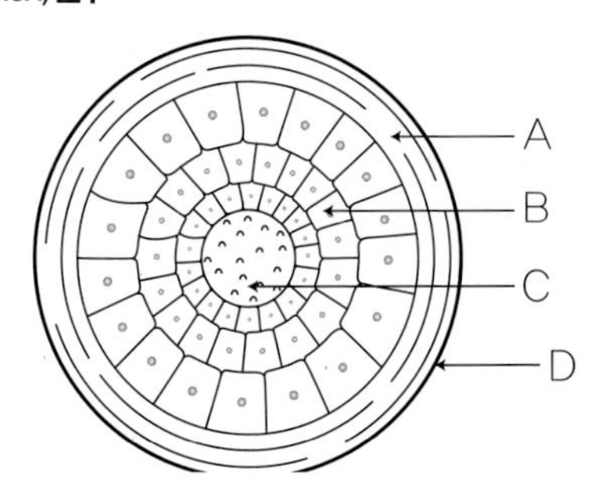

가. A　　나. B
다. C　　라. D

20 피부색상을 결정짓는데 주요한 요인이 되는 멜라닌 색소를 만들어 내는 피부층은?

가. 과립층　　나. 유극층
다. 기저층　　라. 유두층

21 피부에 존재하는 감각기관 중 가장 많이 분포하는 것은?

가. 촉각점　　나. 온각점
다. 냉각점　　라. 통각점

22 다음 중 UV-A(장파장 자외선)의 파장범위는?

가. 320~400nm　　나. 290~320nm
다. 200~290nm　　라. 100~200nm

23 천연보습인자(NMF)의 구성성분 중 40%를 차지하는 중요성분은?

가. 요소　　나. 젖산염
다. 무기염　　라. 아미노산

24 체조직 구성 영양소에 대한 설명으로 틀린 것은?

가. 지질은 체지방의 형태로 에너지를 저장하며 생체막 성분으로 체구성 역할과 피부의 보호 역할을 한다.
나. 지방이 분해되면 지방산이 되는데 이중 불포화지방산은 인체 구성 성분으로 중요한 위치를 차지하므로 필수지방산이라고도 한다.
다. 필수지방산은 식물성지방보다 동물성지방을 먹는 것이 좋다.
라. 불포화지방산은 상온에서 액체상태를 유지한다.

25 땀샘에 대한 설명으로 틀린 것은?

가. 에크린선은 입술뿐만 아니라 전신 피부에 분포되어 있다.
나. 에크린선에서 분비되는 땀은 냄새가 거의 없다.
다. 아포크린선에서 분비되는 땀은 분비량은 소량이나 나쁜 냄새의 요인이 된다.
라. 아포크린선에서 분비되는 땀 자체는 무취, 무색, 무균성이나 표피에 배출된 후, 세균의 작용을 받아 부패하여 냄새가 나는 것이다.

26 피부의 면역에 관한 설명으로 맞는 것은?

가. 세포성 면역에는 보체, 항체 등이 있다.
나. T림프구는 항원전달세포에 해당한다.
다. B림프구는 면역글로불린이라고 불리는 항체를 생성한다.
라. 표피에 존재하는 각질형성세포는 면역조절에 작용하지 않는다.

27 일반적으로 피부 표면의 pH는?

가. 약 4.5~5.5　　나. 약 9.5~10.5
다. 약 2.5~3.5　　라. 약 7.5~8.5

28 세포 내 소화기관으로 노폐물과 이물질을 처리하는 역할을 하는 기관은?

가. 미토콘드리아　　나. 리보솜
다. 리소좀　　라. 골지체

29 다음 중 다당류인 전분을 이당류인 맥아당이나 덱스트린으로 가수분해하는 역할을 하는 태액 내의 효소는?

가. 프티알린　　나. 리파제
다. 인슐린　　라. 말타아제

30 뉴런과 뉴런의 접속부위를 무엇이라고 하는가?

가. 신경원　　나. 랑비에 결절
다. 시냅스　　라. 축삭종말

31 골격계의 가능이 아닌 것은?

가. 보호 기능　　나. 저장 기능
다. 지지 기능　　라. 열 생산 기능

32 인체의 3가지 형태의 근육 종류명이 아닌 것은?

가. 골격근　　나. 내장근
다. 심근　　라. 후두근

33 림프 순환에서 다른 사지와는 다른 경로인 부분은?

가. 우측 상지　　나. 좌측 상지
다. 우측 하지　　라. 좌측 하지

34 수정과 임신에 대한 설명 중 잘못된 것은?

가. 임신에서 분만까지의 기간은 약 280일이다.

나. 모체와 태아 사이의 모든 물질 교환이 이루어지는 곳은 태반이다.

다. 임신기간이 지날수록 프로게스테론과 에스트로겐은 증가한다.

라. 임신 2개월째에는 태아에 체모가 생기고 외음부에 남·녀의 차이가 난다.

35 고주파 피부미용 기기를 사용하는 방법 중 직접법을 올바르게 설명한 것은?

가. 고객의 얼굴에 마른 거즈를 올리고 그 위에 전극봉으로 가볍게 관리한다.

나. 적합한 크기의 벤토즈가 피부 표면에 잘 밀착되도록 전극봉을 연결한다.

다. 고객의 손에 전극봉을 잡게 한 후 얼굴에 마른 거즈를 올리고 손으로 눌러준다.

라. 고객의 손에 전극봉을 잡게 한 후 관리사가 고객의 얼굴에 적합한 크림을 바르고 손으로 관리한다.

36 피부분석 시 육안으로 보기 힘든 피지, 민감도, 색소침착, 모공의 크기, 트러블 등을 세밀하고 정확하게 분별할 수 있는 기기는?

가. 스티머　　나. 진공흡입기
다. 우드램프　　라. 스프레이

37 매우 낮은 전압의 직류를 이용하며, 이온영동법과 디스인크러스테이션의 두 가지 중요한 기능을 하는 기기는?

가. 초음파기기　　나. 저주파기기
다. 고주파기기　　라. 갈바닉기기

38 지성피부에 적용되는 작업방법 중 적절하지 않는 것은?

가. 이온 영동 침투 기기의 양극봉으로 디스인크러스테이션을 해준다.

나. 쟈켓법을 이용한 관리는 디스인크러스테이션 후에 시행한다.

다. T-존(T-zone) 부위의 노폐물 등을 안면 진공 흡입기로 제거한다.

라. 지성피부의 상태를 호전시키기 위해 고주파기의 직접법을 적용시킨다.

39 안면진공흡입기의 사용방법으로 가장 거리가 먼 것은?

가. 사용 시 크림이나 오일을 바르고 사용한다.

나. 한 부위에 오래 사용하지 않도록 조심한다.

다. 탄력이 부족한 예민, 노화 피부에 더욱 효과적이다.

라. 관리가 끝난 후 벤토즈는 미온수와 중성세제를 이용하여 잘 세척하고 알코올 소독 후 보관한다.

40 초음파를 이용한 스킨 스크러버의 효과가 아닌 것은?

가. 진동과 온열효과로 신진대사를 촉진한다.
나. 각질제거효과가 있다.
다. 피부정화효과가 있다.
라. 상처부위에 재생효과가 있다.

41 아로마테라피(aromatherapy)에 사용되는 에센셜 오일에 대한 설명 중 가장 거리가 먼 것은?

가. 아로마테라피에 사용되는 에센셜 오일은 주로 수증기 증류법에 의해 추출된 것이다.
나. 에센셜 오일은 공기 중의 산소, 빛 등에 의해 변질될 수 있으므로 갈색병에 보관하여 사용하는 것이 좋다.
다. 에센셜 오일은 원액을 그대로 피부에 사용해야 한다.
라. 에센셜 오일을 사용할 때에는 안전성 확보를 위하여 사전에 패취테스트(patch test)를 실시하여야 한다.

42 화장품법 상 화장품의 정의와 관련한 내용이 아닌 것은?

가. 신체의 구조, 기능에 영향을 미치는 것과 같은 사용목적을 겸하지 않는 물품
나. 인체를 청결히 하고, 미화하고, 매력을 더하고 용모를 밝게 변화시키기 위해 사용하는 물품
다. 피부 혹은 모발을 건강하게 유지 또는 증진하기 위한 물품
라. 인체에 사용되는 물품으로 인체에 대한 작용이 경미한 것

43 여드름 피부용 화장품에 사용되는 성분과 가장 거리가 먼 것은?

가. 살리실산　　나. 글리시리진산
다. 아줄렌　　라. 알부틴

44 화장품성분 중 무기안료의 특성은?

가. 내광성, 내열성이 우수하다.
나. 선명도와 착색력이 뛰어나다.
다. 유기 용매에 잘 녹는다.
라. 유기 안료에 비해 색의 종류가 다양하다.

45 기능성화장품의 표시 및 기재사항이 아닌 것은?

가. 제품의 명칭
나. 내용물의 용량 및 중량
다. 제조자의 이름
라. 제조번호

46 아래에서 설명하는 유화기로 가장 적합한 것은?

- 크림이나 로션 타입의 제조에 주로 사용된다.
- 터빈형의 회전날개를 원통으로 둘러싼 구조이다.
- 균일하고 미세한 유화입자가 만들어진다.

가. 디스퍼(Disper)
나. 호모믹서(Homo-mixer)
다. 프로펠러믹서(Propeller mixer)
라. 호모게나이져(Homogenizer)

47 화장수의 설명 중 잘못된 것은?

가. 피부의 각질층에 수분을 공급한다.
나. 피부에 청량감을 준다.
다. 피부에 남아있는 잔여물을 닦아준다.
라. 피부의 각질을 제거한다.

48 감염병 관리상 그 관리가 가장 어려운 대상은?

가. 만성감염병 환자
나. 급성감염병 환자
다. 건강보균자
라. 감염병에 의한 사망자

49 수돗물로 사용할 상수의 대표적인 오염지표는? (단, 심미적 영향물질은 제외한다.)

가. 탁도　　나. 대장균 수
다. 증발 잔류량　　라. COD

50 일반적인 미생물의 번식에 가장 중요한 요소로만 나열된 것은?

가. 온도-적외선-PH
나. 온도 -습도 -자외선
다. 온도-습도-영양분
라. 온도-습도 -시간

51 비타민이 결핍되었을 때 발생하는 질병의 연결이 틀린 것은?

가. 비타민 B_1 : 각기병
나. 비타민D-괴혈증
다. 비타민A-야맹증
라. 비타민E-불임증

52 소독에 사용되는 약제의 이상적인 조건은?

가. 살균하고자 하는 대상물을 손상시키지 않아야 한다.
나. 취급 방법이 복잡해야 한다.
다. 용매에 쉽게 용해해야 한다.
라. 향기로운 냄새가 나야 한다.

53 용품이나 가구 등을 일차적으로 청결하게 세척하는 것은 다음의 소독방법 중 어디에 해당되는가?

가. 희석　나. 방부
다. 정균　라. 여과

54 알코올 소독의 미생물 세포에 대한 주된 작용기전은?

가. 할로겐 복합물 형성
나. 단백질 변성
다. 효소의 완전 파괴
라. 균체의 완전 융해

55 바이러스에 대한 일반적인 설명으로 옳은 것은?

가. 항생제에 감수성이 있다.
나. 광학현미경으로 관찰이 가능하다.
다. 핵산 DNA 와 RNA 둘 다 가지고 있다.
라. 바이러스는 살아있는 세포 내에서만 증식 가능하다.

56 청문을 실시하여야 하는 사항과 거리가 먼 것은?

가. 이·미용사의 면허취소, 면허정지
나. 공중위생영업의 정지
다. 영업소의 폐쇄명령
라. 과태료 징수

57 이·미용업소의 위생관리기준으로 적합하지 않은 것은?

가. 소독한 기구와 소독을 하지 아니한 기구를 분리하여 보관한다.
나. 1회용 면도날을 손님 1인에 한하여 사용한다.
다. 피부미용을 위한 의약품은 따로 보관한다.
라. 영업장 안의 조명도는 75룩스 이상이어야 한다.

58 이·미용업의 상속으로 인한 영업자 지위승계시 신고시 구비서류가 아닌 것은?

가. 영업자 지위승계 신고서
나. 가족관계증명서
다. 양도계약서 사본
라. 상속자임을 증명할 수 있는 서류

59 영업소 폐쇄명령을 받고도 영업을 계속할 때의 벌칙기준은?

가. 1년 이하의 징역 또는 1천만원 이하의 벌금
나. 1년 이하의 징역 또는 500만원 이하의 벌금
다. 6월 이하의 징역 또는 500만원 이하의 벌금
라. 6월 이하의 징역 또는 300만원 이하의 벌금

60 과태료 처분에 불복이 있는 경우 어느 기간 내에 이의를 제기할 수 있는가?

가. 처분한 날로부터 30일 이내
나. 처분의 고지를 받은 날로부터 30일 이내
다. 처분한 날로부터 15일 이내
라. 처분이 있음을 안 날로부터 15일 이내

Answer

P·A·R·T 2

정답 및 해설

피부미용사필기시험

2008년 5회 정답

1	라	2	라	3	다	4	나	5	가	6	나	7	나	8	라	9	나	10	가
11	라	12	라	13	가	14	나	15	다	16	가	17	라	18	라	19	나	20	라
21	나	22	가	23	라	24	라	25	가	26	라	27	다	28	가	29	라	30	라
31	다	32	나	33	라	34	다	35	나	36	라	37	가	38	가	39	다	40	다
41	나	42	나	43	가	44	다	45	다	46	다	47	다	48	가	49	가	50	다
51	라	52	라	53	가	54	가	55	가	56	가	57	나	58	가	59	다	60	다

01 셀룰라이트란 지방세포주위의 결합조직(림프관, 혈관)이 압박되어 순환장애가 일어나고 교원섬유의 탄력성이 저하되는 현상으로 림프 드레나쥐와 같은 매뉴얼 테크닉을 적용하면 도움이 된다.

02 색소침착부위뿐 아니라 전체에 도포해야 한다.

03 민감성 피부는 스크럽이 들어간 세안제나 알코올 성분이 들어간 화장품 사용을 피하는 것이 좋다.

04 여드름 피부 및 붉어진 부위에는 유분기가 적은 수용성 파운데이션을 이용하여 가볍게 메이크업을 하고 자극없이 닦아내야 한다.

05 석고마스크는 발열마스크로 침투, 탄력, 리프팅 효과가 있으며, 노화·건성 피부에 적합하고 예민·여드름 피부, 모세혈관확장 피부는 사용을 피하는 것이 좋다.

06 색소침착 피부에 대한 설명이며, 여드름 피부의 경우 피지조절과 각질 제거와 진정관리를 해야 한다.

07 얼굴과 전신의 상태를 유지 및 개선하여 피부의 상태를 정상화시키는 것이다.

08 팩 제거 후에는 냉습포를 진행하여 피부를 진정시키고 모공을 수축시킨다.

09 알부틴은 월귤나무잎이나 서양배나무에서 추출한 것으로 미백효과가 있는 성분이다.

10 왁스를 이용한 제모는 피부표면에 나와 있는 털의 모근까지 제거하는 것으로 일시적인 제모이며, 반복시술이 필요하다. 넓은 면적도 짧은 시간 내에 제거할 수 있으며 경제적이다.

12 다양하고 현란한 기교보다는 적절한 압력과 방향을 고려하고 리듬감을 살려서 연결감 있게 진행하는 것이 중요하다.

13 가. 모세혈관 확장피부나 화농성 피부, 예민피부와 같은 경우는 파라핀팩이나 석고팩과 같은 온열팩은 자극이 될 수 있으므로 피하는 것이 좋다.
나. Wash-Off 타입의 도포 후 일정시간 지나 미온수로 닦아내는 형태의 팩이다.
다. Peel-Off 타입의 팩은 건조되어 얇은 필름을 형성하여 피부청결에 효과적이다.
라. 건성 피부에 적용 시에는 완전히 건조되기 전에 제거하는 것이 자극을 주지 않는다.

14 딥 클렌징을 진행하면 각질을 연화시켜 면포를 부드럽게 한다.

15 눈가부위는 민감한 부위이므로 자극없이 닦아내야 한다.

16 딥 클렌징 제품 중에 스크럽 형태의 경우 물리적인 마찰이 가해지기 때문에 여드름 피부나 염증부위의 경우 자극으로 인해 더욱 예민해질 수 있으므로 가급적 피하는 것이 좋다.

17 효소나 고마쥐는 딥 클렌징 단계에서 사용하는 제품이다.

18 고객의 사생활 유·무는 피부상담과 직접적인 관련이 없다.

19 나. 항산화제는 노화방지에 도움을 주는 대표적인 것이다.
다. 노화과정 중 단백질을 D-아미노산을 L-아미노산으로 대체하는 라세미화가 일어나는 단백질 기능에 영향을 주며, 라세미화는 노화된 조직에 기능장애 단백질의 축척을 일으킨다.
라. 세포의 염색체 끝부분인 텔로미어가 단축이 되면 세포는 더 이상 분열을 하지 못하고 수명을 다하여 노화한다.

20 낭종(낭포)은 액체나 반고형 물질로 인해 표면이 융기되어 있으며, 피하지방층까지 침범 통증을 유발 여드름의 가장 심각한 마지막 단계를 말하며 결절과 더불어 흉터가 남는다.

21 진피는 표피와 피하지방층 사이에 위치하며, 피부의 대부분을 차지하고 있는 진피는 피부의 부속기관을 가지고 있다.

22 기미란 연한 갈색, 또는 암갈색 등의 색소반이 태양광선 노출부위, 특히 안면에 많이 발생하는 과색소 침착성 질환으로 멜라닌색소가 과다 침착되어 생기는 것이다.

23 피부진피층까지 침투되는 것은 UVA이다.

24 멜라닌세포는 주로 기저층에 위치해 있으며, 케라티노사이트와 4:1~10:1의 비율로 존재한다.

25 림프계의 기능은 항원에 반응하여 식균작용 및 이물질 제거에 의한 신체방어와 면역작용이 있으며, 혈액에서 유출되는 조직액(체액)을 다시 혈액으로 되돌리는 작용이 있다.

26 자외선에 의해 비타민D가 피부에서 합성된다.

27 가. 세포성면역은 세포와의 접촉을 통하여 직접 항원을 제거하는 것으로 T-cell이나 자연살해세포 등이 있다.(보체, 항체=체액성 면역)
나. 항원전달세포 : 외부 이물질이 들어오면 세포 내 이입 후 항원으로써 제시함(B-cell, 대식세포)
다. B림프구는 기억된 항원을 만나면 항체를 분비하는 형질세포로써 체액성면역
라. 각질형성세포 : 히스타민을 분비, 면역에 관여

28 담즙은 간에서 생성된다.

29 골격계는 지지기능, 보호기능, 운동기능, 저장기능, 조혈기능이 있으며 열 생산기능은 골격근의 기능이다.

30 세포 〈 조직 〈 기관 〈 계통 〈 개체
- 세포 : 생명체의 구조적, 기능적, 유전적 기본 단위
- 조직 : 분화의 방향이 같고 구조가 비슷한 세포가 모여 상호연관성을 맺은 세포집단
- 기관 : 조직이 모여 일정한 형태를 갖추고 일정한 기능과 활동을 수행하는 부분
- 계통 : 기관이 모여 기능면에서 같은 일을 돕는 체계
- 개체 : 기관계가 정연한 배치를 통하여 전체적인 조화와 통일을 이룬 것

31 교근, 측두근, 외측익돌근 등은 저작근에 속한다.

32
- 연축(Twitch) : 단일수축, 순간적인 자극으로 근육이 오그라들었다가 이완되어 되돌아가는 1회의 과정
- 강직(Contraction) : 뻣뻣하게 굳어서 움직일 수 없게 된 상태
- 강축(Tetanus) : 근육에 계속해서 몇 번 이상 자극을 줄 때 지속적으로 수축을 일으키는 현상
- 긴장(Tonus) : 근육의 지속적인 경도의 수축
- 세동(Fibrillation) : 단독의 근세포와 근섬유의 자발적인 활성화가 원인이 되어 일어나는 범위가 작은 국소성의 불수의성 근수축

33
- 뉴런(Neuron) : 신경전달의 구조적·기능적 최소 단위, 수상돌기, 세포체, 축삭으로 구분되어 있다.

- 시냅스 : 한 개의 신경세포가 다른 하나의 신경세포와 접촉하는 부위이다.
- 축삭돌기 : 다른 뉴런이나 반응기에 자극을 전달한다.
- 수상돌기 : 다른 뉴런으로부터 자극을 받아들인다.
- 신경초 : 말초신경계 신경섬유의 가장 바깥쪽에 있는 원통모양의 막으로 슈반초라고도 하며, 신경이 손상되었을 때 신경재생에 중요한 역할을 한다.

34
- 동맥 : 심장 박동에 의해 밀려나온 혈액을 온몸으로 보내는 혈관
- 정맥 : 몸의 각 부분에서 혈액을 모아 심장으로 보내는 혈관
- 모세혈관 : 세동맥과 세정맥을 연결하는 그물모양의 얇고 가는 혈관, 영양공급과 노폐물의 운반이 실제로 이루어지는 장소
- 림프관 : 림프액이 들어있는 관

35 오존사용 시 스팀이 나오기 시작하면 오존스위치를 작동시킨다.

36 적외선은 피부조직에 열을 발생시키는 효과가 있다.

37 진공흡입기는 피부표면을 진공상태로 만들어 흡입하는 원리이다.

38 모세혈관 확장피부는 사용을 금지한다.

39 전류의 크기를 나타내는 단위는 암페어(A)이다.

40 지성피부의 우드램프 반응색상은 오렌지색이다.

41 호호바 오일은 인체의 피지와 지방산의 조성이 유사하여 친화성이 좋으므로 캐리어 오일로 널리 사용되어지고있다.

42 데오도란트는 액취방지제로 신체에서 나는 불쾌한 냄새를 없애거나 방지하는 목적으로 사용된다.

43 화장품 4대 요건은 안전성, 안정성, 사용성, 유효성을 말한다.

44 오존층이란 대기중에 오존이 많이 분포되어 있는 층을 말하며, 자외선은 오존층에서 발생되는 것이 아니라 오히려 자외선(UVC)이 지면에 도달하지 못하도록 막아주는 역할을 한다.

45 가. 계면활성제는 서로 다른 성질의 물질을 섞이게 만들어주는 성분이다.
나. 알파 : 하이드록시산은 각질제거제 성분이다.
라. 메칠 파라벤은 방부제 성분이다.

46 티로시나제 억제의 기능이 있다.

47 가. 둥근모양의 친수성기와 막대꼬리모양의 친유성기(소수성기)를 가진다.
나. 피부에 대한 자극은 양이온성>음이온성>양쪽성>비이온성의 순으로 감소한다.
라. 음이온성 계면활성제는 세정작용이 우수하여 비누, 샴푸 등에 사용된다.

48 세균성 이질–1군
B형간염, 유행성이하선염–2군

49 공중보건의 목적을 달성하기 위하여 업무과정의 과학적 관리방식에 의한 능률을 추구하고, 보건사업의 법률적 관계조정 및 국민의 생명연장, 질병예방 등을 위한 행정활동과정을 말한다.

50 소화기계 감염병과의 구별
- 세균성 식중독
  - –다량의 세균과 독소량이 있어야 발병
  - –2차 감염은 없고, 원인식품의 섭취로 발병
  - –면역이 획득되지 않음
  - –소화기계 감염병에 비하여 잠복기가 짧음
- 소화기계 감염병
  - –소량의 균으로 발병
  - –2차 감염이 이루어짐
  - –면역이 획득됨

51 보건교육
1. 개인위생, 생활환경위생, 식품위생, 환경보전, 산업위생 등의 보건위생 관련 내용
2. 감염병 직업병, 공해질병, 성인병, 노인성 질병 등 질병관련 내용
3. 모자보건, 가족보건, 정신보건, 보건영양, 기

호품 및 의약품의 오용, 남용 등 건강관련 내용 등이 보건교육의 내용이 될 수 있다.

52 장점

- 살균력이 안전하다
- 고온일수록 소독 효과가 크다.
- 값이 저렴하고, 안정성이 있으며, 사용범위가 넓다(오래 보관).
- 모든 균에 거의 효과가 있다.

단점

- 금속을 부식한다.
- 피부점막에 자극을 준다.
- 취기와 독성이 강하다.
- 바이러스 아포에 효과가 없다.

53 자비소독 : 100℃의 끓는 물속에 소독할 물품을 직접 담가 20분 이상 끓이는 방법
금속기구, 접시, 도자기, 수건 등

54
- 적외선 : 혈액순환·신진대사 원활, 근육이완, 노폐물 배설, 물질의 침투 용이
- 자외선 : 살균·소독 작용

55 2mL/100mL×100=2%

56 1차 : 면허정지 3월
2차 : 면허정지 6월
3차 : 면허취소

57 공중위생관리법 제6조 이용사 및 미용사의 면허 등 1항의 내용
이용사 또는 미용사가 되고자 하는 자는 보건복지부령이 정하는 바에 의하여 시장·군수·구청장의 면허를 받아야 한다.

58 공중위생관리법 제17조 위생교육 1항의 내용
공중위생영업자는 매년 위생교육을 받아야 한다.
공중위생관리법 시행규칙 제23조 위생교육1항의 내용
법 제17조에 따른 위생교육은 3시간으로 한다.

59 공중위생관리법 시행령 제7조의 3 과징금의 부과 및 납부 5항

60 공중위생관리법 시행령 제8조 공중위생감시원의 자격 및 임명 1항 각호1호 내지 4호의 내용

1. 위생사 또는 환경기사 2급 이상의 자격증이 있는 자
2. 「고등교육법」에 의한 대학에서 화학·화공학·환경공학 또는 위생학 분야를 전공하고 졸업한 자 또는 이와 동등 이상의 자격이 있는 자
3. 외국에서 위생사 또는 환경기사의 면허를 받은 자
4. 3년 이상 공중위생 행정에 종사한 경력이 있는 자

피부미용사필기시험

2009년 1회 정답

1	라	2	다	3	나	4	다	5	가	6	라	7	나	8	가	9	가	10	다
11	나	12	나	13	가	14	라	15	나	16	다	17	라	18	나	19	라	20	가
21	다	22	나	23	가	24	라	25	라	26	나	27	다	28	다	29	라	30	나
31	가	32	가	33	라	34	가	35	나	36	가	37	가	38	나	39	라	40	라
41	나	42	나	43	가	44	가	45	다	46	나	47	나	48	가	49	다	50	가
51	나	52	나	53	다	54	나	55	다	56	나	57	가	58	나	59	라	60	다

1 모세혈관 확장피부는 최대한 자극을 피해야 하는데 주2회 딥 클렌징을 하는 경우 피부에 큰 자극이 될 수 있다.

2 슬리밍 제품의 경우 활성성분에 의해 피부자극이 있을 수 있으므로 마무리 단계에서 진정을 해준다.

4 닥터자켓은 집어주기 동작으로, 피지선을 자극하여 모공 속 피지 배출을 도와준다.

5 나. 스위트 아몬드 오일은 가벼운 느낌의 오일로 높은 자양분과 불포화 유지방산, 리놀릭산, 단백질, 미네랄 등이 풍부하여 윤기없는 피부나 거친 피부에 좋다.
다. 아보카도 오일은 무거운 느낌의 오일로서 비타민A, D, 레시틴, 칼륨 등이 풍부하여 건성, 습진 탈수 피부에 좋다.
라. 그레이프 시드 오일은 끈적임이 없는 가벼운 오일로서 비타민E가 풍부하여 항산화 작용과 피부재생 효과가 뛰어나다.

6 피부미용은 매뉴얼 테크닉, 제품, 기계 및 피부지식을 토대로 상담 등으로 관리를 한다.

7 모공 깊숙한 불순물과 피부표면의 각질제거는 딥 클렌징에 대한 설명이다.

8 가. A·H·A(Alpha Hydroxy Acid)는 과일이나 채소에서 추출한 천연산을 말한다.
나. 젖산(Lactic Acid)은 A·H·A의 종류로서 쉰 우유에서 추출한다.
다. TCA(Trichloroacetic acid)는 아세틴산의 일종으로 단백질을 응고시키는 작용을 한다.
라. 페놀(Phenol)은 페닐기에 하이드록시기가 결합한 방향족 화합물이다.

9 건성 피부의 경우 피지와 수분이 부족한 피부로 알칼리성 비누 및 뜨거운 물은 피지와 수분 부족을 초래할 수 있다.

10 확장된 모공을 수축시키고 긴장시키기 위해서는 냉타올이 적절하다.

11 여름은 기온의 상승으로 피부의 탄력이 긴장감을 잃을 수 있다.

12 스크럽 제품은 각질이 두껍고 순환이 떨어지며, 비화농성 피부에 적절하다.

13 모든 팩은 너무 오랜 시간동안 팩을 도포해 둘 경우 건조되어 오히려 피부의 수분을 뺏어갈 수 있다.

16 일시적 제모 방법으로는 면도, 가위를 이용한 커팅법, 왁싱법이 있으며, 영구제모 방법으로는 전기 탈모법, 전기핀셋탈모법 등이 있다. 왁스는 콜드와 웜왁스가 있다. 왁스를 이요한 제모 방법은 일시적 제모로서 모낭에 큰 자극은 없다.

17 콜라겐 벨벳은 기포가 생기지 않도록 하여 피

부에 밀착시켜야 한다.

18 크렌징은 자극없이 깨끗이, 빠르게 시술해야 한다.

19 아토피성 피부는 소아습진과 관계가 있으며 팔꿈치 안쪽이나 무릎 뒤쪽 등의 부드럽고 접히는 부위에 피부과 태선화가 되고 가려움증이 심해지는 현상이다.

20 건성 피부의 특징은 피지선과 한선의 기능이 저하되어 피지분비량이 적어 건조하고 당김현상이 있으며, 주름이 빨리 생기고 노화현상이 빨리 나타난다.

21 비타민C는 체내에서 합성되지 않으며, 활성산소를 제거하는 항산화제이다. 멜라닌이 생기는 기전에서 산소의 산화를 억제하여 멜라닌생성을 억제하며, 항염증성질로 인해 자외선의 노출에 대해 피부를 보호하고 섬유아세포를 자극해 콜라겐 합성을 촉진시킨다.

23 아포크린은 대한선으로 체취와 관련이 있고 특정부위에 분포되어 있으며, 사춘기 때 분비가 촉진된다.

24 광노화의 특징 : 표피의 두께가 두꺼워짐, 콜라겐의 변성과 파괴로 진피두께 증가

25 림프계의 기능은 항원에 반응하여 식균작용 및 이물질제거에 의한 신체방어와 면역작용이 있으며, 혈액에서 유출되는 조직액(체액)을 다시 혈액으로 되돌리는 작용이 있다.

26 멜라닌세포는 기저층에 위치하며 멜라닌을 생성해 내는 색소형성세포이다.

27 반흔은 속발진의 증상이다.

28 혈액은 pH를 낮추는 것이 아니라 조절하는 기능을 갖는다.

29 **골격의 기능**

1. 지지기능 : 인체의 가장 기본적인 형태를 이루고 체중을 지지한다.
2. 보호기능 : 신체 내부장기를 보호한다.
3. 운동기능 : 근육의 도움을 받아 인체를 움직이게 한다.
4. 저장기능 : 칼슘, 인과 같은 무기질을 저장한다.
5. 조혈기능 : 적골수(red bone marrow)에서 혈액세포를 생산한다.

30 세포는 핵, 세포질, 세포막으로 구성되어 있다.

31
- 승모근은 목후방과 어깨, 등 상부에 부착한 승모(마름모꼴) 모양으로 존재하는 넓은 근육으로 머리를 들어 하늘을 쳐다볼 때 어깨를 으쓱하거나 뒤로 당길 때 사용된다.
- 흉쇄유돌근은 머리를 숙이거나 한쪽방향으로 돌릴 때 사용된다.
- 대둔근은 대퇴를 신전하거나 외측회전할 때 사용된다.
- 비복근은 발끝으로 서 있을 수 있게 하는 근육이다.

32 폐는 호흡기계에 신장은 배설기계에 포함된다.

33 전거근은 겨드랑이 아래부위에 있는 흉벽 측면에 부착한 근육으로 수레를 밀 때처럼 견갑골을 전방으로 당기거나 팔을 올릴는 것을 관여한다.

34 골격근은 뼈에 부착되어 횡문(가로무늬)을 가지고 수의적 활동이 가능하다. 내장벽을 형성하는 근육은 내장근이다.

35 같은 전하의 이온을 밀어낸다.

36 회전하는 브러시를 피부와 90° 각도로 유지한다.

37 스티머의 증기분출상태를 확인하여 고객에 적용한다.

38 광선에 의해 피부상태가 변하기 때문에 조명아래에서는 측정하지 않는다.

39 디스인크러스테이션에서는 알칼리반응이 일어나는 음극봉을 활동 전극봉으로 선택한다.

40 자외선파장을 이용한 피부분석 기기는 우드램프이다.

41 새니타이저(sanitizer)는 위생제, 살균제란 뜻을

가지고 있으며, 핸드새니타이저(hand sanitizer)는 손 소독 및 살균제를 의미한다. 우리나라에서는 주로 병원에서 사용되고 있다.

42 파운데이션은 피부의 잡티나 결점을 커버해 주는 목적으로 사용되어지며, 크림 파운데이션은 대부분 W/O형의 유화형태를 가지고 있으며, O/W형에 비해 비교적 사용감이 무겁고 퍼짐성이 낮다.

43 핸드로션과 바디로션은 손과 발에 수분과 영양을 공급하여 부드럽고 매끄럽게 해주고 보호하는 제품이며, 파우더는 다용도로 사용되지만 바디에는 주로 유·수분을 제거하는 용으로 사용된다.

44 가. O/W 에멀션 : 수중유형으로 물에 오일성분이 혼합되어 있는 유화상태이다.
나. W/O 에멀션 : 유중수형으로 오일성분에 물이 혼합되어 있는 유화상태이다.
다. W/S 에멀션 : 실리콘성분에 오일이 혼합되어 있는 유화상태이다.
라. W/O/W 에멀션 : 오일성분과 물성분이 3중으로 된 유화상태이다.

45 아로마 오일은 극히 소량일지라도 희석하여 사용한다.

46 자외선 산란제에는 돌가루 성분인 이산화티탄과 산화아연이 들어있어 제품을 도포 시 하얗게 되는 백탁현상을 일으키며, 자외선 흡수제는 화학적 필터가 들어 있어서 제품을 도포 시 투명하며 흡수가 잘 된다.

47 기능성 화장품은 피부의 미백에 도움을 주는 제품, 피부의 주름개선에 도움을 주는 제품, 피부를 곱게 태워주거나 자외선으로부터 피부를 보호하는 데 도움을 주는 제품을 말한다.

48 대장균은 검출방법이 용이하고 정확하기 때문에 상수의 수질오염지표로 이용됨

49
- 영구면역 : 홍역, 수두, 유행성이하선염, 백일해, 성홍열, 발진티푸스, 장티푸스, 페스트, 황열
- 불현성감염 : 증상이 없이 감염되는 것

50
- 살모넬라 식중독 : 복통, 설사, 발열 등이 주 증상으로 전신권태, 식욕감퇴, 두통, 구토, 현기증 등을 동반하고 발열은 급하게 일어나 38~40℃로 오르며 오한과 전율이 동반됨
- 웰치균 식중독 : 구토, 설사, 복통 등을 주 증상으로 함
- 복어중독 : 입술의 저림, 구토, 호흡마비 등을 주 증상으로 함
- 포도상구균 식중독 : 타액분비 증가, 오심, 구토, 설사, 복통을 일으키며, 발열은 38℃ 이하이다.

51 영아사망률은 출생아 1,000명당 1년 이내에 사망하는 영아의 수를 나타내는 것으로, 일반사망률에 비해 통계적 유의성이 크므로 가장 대표적인 보건수준 평가의 기초자료가 된다.

52 나. 소독약품의 종류에 따라 다소 차이가 있으나 일반적으로 최상의 효과를 위해서 바로 만들어 사용한다.

53 가. 건열멸균기 : 멸균된 물건을 소독기에서 꺼낸 후 건조시켜야 살균효과가 크다.
나. 자비소독기 : 물이 끓을 때 넣고 끓여야 살균효과가 있다.
라. 자외선소독기 : 자외선 소독기를 이용하여 소독 시 자외선이 투과가 되지 않기 때문에 직접 자외선을 쐬어주어야 한다.

54 나. 압력이 20파운드일 때 126.5℃에서 150분간 살균해야 멸균효과가 있다.
- 10Lbs : 115℃, 30분간
- 15Lbs : 121℃, 20분간
- 20Lbs : 126℃ 15분간

55 나. 100℃ 끓는 물에서 15~20분간 처리하는 방법으로 관리실에서 가장 많이 사용하는 수건 등을 소독할 때 가장 많이 쓰인다.

56 미용업 영업자의 준수사항 7항에 의거하면 영업장안의 조명도는 75룩스 이상이 되도록 유지하여야 한다.

57 위생서비스 수준의 평가주기는 2년마다 실시하며, 평가주기와 방법, 위생관리등급의 기준 기타 평가에 관하여 필요한 사항은 보건복지부령으로 정한다. 또한 위생관리등급은 3개 등급으로 최우수업소–녹색, 우수업소–황색, 일반업소–백색으로 구분한다.

58 공중위생영업자가 공중위생관리법, 매매알선등 행위의 처벌에 관한 법률, 풍속영업의 규제에 관한 법률, 청소년보호법, 의료법에 위반할 시 관계행정기관의 장의 요청이 있는 때에는 6월 이내의 기간을 정하여 영업의 정지, 일부시설의 사용중지를 명하거나 영업소 폐쇄 등을 명할 수 있다.

59 이용사 및 미용사의 면허취소, 면허정지, 공중위생영업의 정지, 일부 시설의 사용중지, 영업소 폐쇄 명령 등의 처분 때에는 청문을 실시하여야 한다.

60 '미용업'이라 함은 손님의 얼굴·머리·피부 등을 손질하여 손님의 외모를 아름답게 꾸미는 영업을 말한다.

피부미용사필기시험

2009년 2회 정답

1	나	2	나	3	가	4	다	5	나	6	나	7	다	8	라	9	나	10	다
11	가	12	다	13	가	14	다	15	라	16	라	17	나	18	라	19	가	20	나다
21	다	22	나	23	가	24	나	25	다	26	라	27	나	28	라	29	가	30	나
31	다	32	나	33	가	34	라	35	가	36	다	37	나	38	라	39	가	40	라
41	나	42	가	43	가	44	라	45	가	46	라	47	다	48	라	49	다	50	라
51	라	52	라	53	다	54	라	55	다	56	라	57	나	58	나	59	가	60	나

1 머절린(부직포)을 털이 난 반대방향으로 떼어낸다.

2 스파는 물을 이용한 다양한 프로그램이 이루어지는 장소를 의미한다.

3 필링을 피해야 하는 피부는 모세혈관이 확장되거나 예민한 피부이다.

5 털을 녹여 제거하는 방법은 화학적 방법이다.

6 프릭션은 손끝을 이용하여 원을 그려주는 동작이다.

7 메디컬 스킨케어에서 사용하는 성분으로 의사의 지시에 따라 사용되어야 하며, 페놀은 석탄산을 이용한 것이고 TCA(트리클로아세틱에이시드)는 단백질을 응고시키는 성분이 있는 아세틴산의 일종이고 BP(벤졸퍼록사이드)는 각질탈락과 피지제거 효과가 있다.

8 라. 딥 클렌징의 사용 후를 설명한 것이다.

9 발열 효과가 있는 석고마스크의 효과이다.

10 다. 진피성 수분부족 피부의 특징이다.

11 입술의 주름의 방향은 세로방향이므로 바깥에서 안쪽으로 닦아준다.

12 다. 영양팩이나 마무리단계의 영양흡수 과정에서 이루어진다.

13 국화과 식물인 카모마일에서 추출하는 아줄렌의 효과는 진정작용과 항염증작용이 있다.

14 피부질환의 치료는 의료영역이므로 피부미용의 기능에 해당되지 않는다.

15 클렌징은 노폐물을 제거하는 것이므로 유효성분의 침투효과는 없고 유효성분이 침투가 될 수 있도록 도와준다.

16 티트리는 살균, 소독, 항염 효과가 있다.

17 매뉴얼 테크닉 시 처음과 마지막 동작은 주로 쓰다듬기(에프롤라쥐)가 사용된다.

18 라. 매디컬 스킨케어에서 진행되는 필링의 방법 중 하나이다.

20 멜라닌세포(멜라노사이트)는 기저층에 존재한다.

21 가. 비타민C에 대한 설명
라. 비타민E와 비타민C에 대한 설명이다.

22 나. 예민성 피부에 대한 설명이다.

23 세포간지질의 50% 이상을 차지하는 것은 세라마이드이다.

24 아포크린선(대한선) 한선의 한 종류로 모공과 입구를 같이 하며, 액취증을 유발한다.

25 콜라겐(교원섬유)은 엘라스틴(탄력섬유)과 같이 진피층에 주로 존재한다.

26 광노화는 주로 자외선이 주원인이며, 피부표피층의 두께가 두꺼워지고 노화 증상이 내인성에 비해 일찍부터 관찰되며 비정상적인 혈관확장 등이 일어난다.

27 유극층은 표피층 중 가장 두꺼운 층이며, 표피의 영양을 관장한다.

28 근원섬유에 가로무늬가 없어 평활근(또는 민무늬근)으로 불리며, 대뇌의 지배를 받지 않고 자율신경이 조절한다.

29 혈액은 호르몬 분비작용이 아닌, 호르몬을 표적기관에 운반하는 작용을 한다.

30 펩티디아제는 단백질을 분해하는 효소의 통칭이며, 췌장에서 분비되는 단백질 분해효소는 트립신이다. 펩신은 위에서 분비되며, 리파아제는 췌장에서 분비되는 지방분해 효소이다.

31 제7뇌신경은 안면뇌신경이며, 맛·지각·표정(아나면근육운동)·타액분비 등의 기능을 한다.

32 결합조직이란 신체의 일부를 연결하거나 지지, 보호, 물질운반을 하는 뼈, 힘줄, 인대, 연골, 지방조직 등을 말하며, 골과 골 사이에서 충격을 흡수하는 것은 연골이다.

33 갑상선 기능저하는 갑상선에서 분비되는 티록신호르몬의 기능저하에 따른다.

34 세포 내에서 세포의 에너지(ATP) 형성 및 호흡 생리를 담당하는 기관은 미토콘드리아이다.

35 전동브러시는 회전속도를 조절하거나 사용제품에 따라서 클렌징, 딥 클렌징, 필링의 효과가 있다.

36 전류란 전자의 흐름을 말하며, 한 방향으로 흐르는 것이다.

37 적외선은 열을 발생시키므로 자외선 관리를 병행하면 홍반, 물질, 부종이 생길 수 있다.

38 크림의 유분 성분이 장벽으로 작용하여 유효성분이 침투하지 못한다.

39 음극의 효과를 이용한 갈바닉방법을 아나포레시스라고 하며, 양극의 효과를 이용한 갈바닉방법을 카타포레시스라 한다.

40 디스인크러스테이션관리는 피지와 모공 내 노폐물을 배출시키는 관리로 건성피부에는 건조를 유발시킬 수도 있다.

42 자외선 차단제는 일반적으로 SPF 30 정도가 적당하며 땀이나 물로 인해 지속시간이 짧아질 수 있으므로 상황에 따라 덧발라 준다. SPF 지수가 높을수록 피부에 대한 자극도가 높을 수 있다.

43 나. 과일이나 열매를 압착하여 추출하는 방법이다.
다. 헥산(hexane)과 석유 에테르(petroleu-mether)와 같은 휘발성 유기 용매에 식물의 꽃을 일정기간 냉암소에서 침적시켜서 향기 성분을 녹여내는 방법이다.

44 화장품의 4대 요건은 안전성, 안정성, 사용성, 유효성이다.

45 가. 기능성화장품 중 피부를 곱게 태워 주거나 자외선으로부터 피부를 보호하는 데 도움을 주는 제품에 대한 설명이다.
나. 세안제에 대한 설명이다.
다. 보습제에 대한 설명이다.
라. 화장수에 대한 설명이다.

46 바디샴푸는 피부표면의 이물질 제거와 보습의 기능을 갖추어야 하며, 기포세정제를 함유하고 있어 풍부한 거품의 생성과 거품의 지속성을 가지고 있어야 한다. 강력한 세정성은 피부의 유·수분을 과도하게 제거할 수 있다.

47 퍼퓸(부향률 15~30%) 〉 오데퍼퓸(부향률 9~12%) 〉 오데토일렛(부향률 6~8%) 〉 오데코롱(부향률 3~5%) 〉 샤워코롱(부향률 1~3%)

48 가. 보툴리누스 식중독은 세균성 식중독 중 치사율이 가장 높다.
나. 테트로도톡신은 복어에 들어있는 유독성분이다.
다. 식중독은 지역의 영향을 많이 받는다.

49 공중보건학은 조직화 된 지역사회의 노력으로 질병예방, 수명연장, 육체적·정신적 효율을 증진시키는 것을 목적으로 한다. 치료는 의료영역에 해당된다.

50 **보건행정의 일반적 정의**
공중보건의 목적을 달성하기 위하여 업무과정

의 과학적 관리방식에 의한 능률을 추구하고, 보건사업의 법률적 관계조명 및 국민의 생명연장, 질병예방 등을 위한 행정활동 과정

51 사람과 동물 사이에 전파될 수 있는 감염성 질병으로 특히 동물이 사람에 옮기는 감염병을 말한다. 사람과 동물의 양쪽에 중증의 병을 일으키는 탄저, 페스트, 광견병(공수병) 등 외에 최근 전국으로 확산되어 많은 염려를 낳았던 조류독감인플루엔자(AI)가 대표적인 인수공통감염병이다.

52 여과멸균법-특수약품, 혈청, 음료수 등 열을 가할 수 없는 물질에 이용한다. 바이러스가 통과하는 불완전 소독법으로 규조토, 소각도기, 석면판에 이용된다.

53 **고압증기멸균법**
물리적인 소독법 중 습열법에 해당하므로 분말제품을 소독하기에는 부적절하다.

54 **멸균(Sterilization)**
모든 미생물(병원성, 비병원성, 포자 등)을 완전하게 제거하는 방법

55 소독약의 희석배수/석탄산의 희석배수=석탄산계수
180/90=2.00

56 **청문을 실시하는 경우**
1. 이용사 및 미용사의 면허취소, 면허정지
2. 공중위생영업의 정지, 일부시설의 사용중지 및 영업소 폐쇄명령 등이다.

57 공중위생관리법 제3조의2(공중위생영업의 승계) 3항 면허를 소지한 자에 한하여 공중위생영업자의 지위를 승계할 수 있다.

58 1차 위반-영업정지 2월
2차 위반-영업정지 3월
3차 위반-영업장 폐쇄명령

59 **제11조(공중위생영업소의 폐쇄 등) 3항**
1. 영업소의 간판 기타 영업표지물의 제거
2. 영업소가 위법한 영업소임을 알리는 게시물 등의 부착
3. 영업을 위하여 필수불가결한 기구 또는 시설물을 사용할 수 없게 하는 봉인

60 **제1조(목적)** 이 법은 공중이 이용하는 영업과 시설의 위생관리 등에 관한 사항을 규정함으로써 위생수준을 향상시켜 국민의 건강증진에 기여함을 목적으로 한다.

피부미용사필기시험

2009년 4회 정답

1	나	**2**	라	**3**	라	**4**	가	**5**	라	**6**	가	**7**	라	**8**	가	**9**	라	**10**	라
11	다	**12**	나	**13**	다	**14**	나	**15**	가	**16**	라	**17**	가	**18**	나	**19**	가	**20**	나
21	다	**22**	나	**23**	가	**24**	다	**25**	가	**26**	다	**27**	라	**28**	나	**29**	가	**30**	라
31	가	**32**	다	**33**	나	**34**	나	**35**	라	**36**	나	**37**	다	**38**	다	**39**	라	**40**	다
41	나	**42**	다	**43**	라	**44**	가	**45**	가	**46**	라	**47**	가	**48**	다	**49**	다	**50**	다
51	가	**52**	다	**53**	나	**54**	나	**55**	다	**56**	가	**57**	가	**58**	다	**59**	나	**60**	다

1 필오프 타입의 마스크는 영양분의 흡수가 아닌 노화된 각질 제거 등에 효과적이다.

2 피부에 탄력성을 증가시키는 동작으로는 강찰법, 집어주기, 꼬집기 동작이 있다.

3 A·H·A는 민감한 부위에는 주의하여야 한다. 모세혈관 확장 피부에 적용시 자극적이다.

6 모공을 확장시켜 화장품의 잔여물 및 노폐물 제거를 용이하게 한다.

7 주름개선은 매뉴얼 테크닉과 팩의 효과이다.

8
- 클렌징젤 : 지성·여드름 피부에 가장 적합
- 클렌징오일 : 건성·노화 피부에 적합
- 클렌징크림 : 지성·예민·여드름 피부는 가급적 피한다.
- 클렌징밀크 : 모든 피부 사용이 가능함

9 떼어낼 때에는 한손으로는 발등이나 발목쪽을 고정하고 다른 손으로 털의 반대방향으로 빠르게 제거한다.

10 가, 나, 다는 클렌징 제품의 전반적인 설명이고, 라는 거품이 일어나는 제품인 폼클렌징에 대한 설명이다.

11 피부미용영역에 메이크업이 포함되지 않으므로 메이크업을 반드시 해 줄 필요가 없다.

12 가는 모세혈관확장피부, 다는 건성피부, 라는 예민성피부에 대한 설명이다.

13 가는 문지르기, 강찰법이며, 나는 주무르기, 유연법, 다는 쓸어주기, 쓰다듬기, 경찰법이라고도 하며 모든 동작의 시작과 마무리, 연결동작에 많이 사용한다.

14 나는 알갱이의 자극으로 더 민감해질 수 있는 피부이다.

15 바디랩 사용 시 꽉 조이게 하면 순환이 되지 않아 독소제거나 노폐물 배출이 원활하지 못하다.

16 에스테틱(피부미용)의 어원은 '예술적, 심미적, 미적 감각이 있는'이라는 뜻을 갖고 있다.

17 나, 다, 라는 제모 시 자극이 될 수 있고, 가는 부종이 문제가 되는 것으로 왁스를 이용한 제모의 부적용증과는 거리가 멀다.

18 피지분비가 적은 피부는 건성 피부, 피지분비가 많은 피부는 지성 피부로 피지분비 상태가 피부유형분석 기준이 된다.

19 자외선을 과다하게 쬘 경우 홍반(붉음증), 색소침착(기미), 노화현상 촉진, 선번, 모세혈관 확장, 각질의 두께가 두꺼워지는 현상이 나타난다.

20 땀의 분비가 감소, 신경계질환의 원인으로 나타나는 것은 소한증이다. 다한증은 땀이 많이 나는 것, 무한증은 땀이 나지 않는 것, 액취증은 대한선에 대한 설명이다.

21 속발진의 종류로 태선화는 표피가 가죽처럼 두꺼워진다. 가피는 딱지라고 하고, 낭종은 여드

름 4단계를 말하고, 반흔은 상처가 났을 때 흉터를 말한다.

22 1도 화상은 홍반, 부종, 통증을 수반, 3도 화상은 진피까지 손상되는 단계이다.

24 피지는 수분증발을 억제하고 약산성 피지막을 형성하여 살균작용을 하며, 레시틴은 천연 유화제 역할을 한다.

25 케라토히알린은 과립층에 존재하며, 각질화 과정의 원인이 되는 것이다.

26 멜라닌 세포, 랑게르한스 세포, 머켈세포, 각질형성세포는 표피층에 존재하는 세포이다. 섬유아 세포, 비만세포, 대식세포는 진피층에 존재하는 세포이다.

27 비타민C는 멜라노좀의 성숙과정을 억제하는 대표적인 성분이다.

28 가는 협근, 다는 관골근, 라는 소근에 대한 설명이다.

29 반건양근은 대퇴후부에 있는 슬건근군의 하나로 반힘줄모양근을 말한다. 신근은 중력에 저항하여 자세를 유지하는 데 사용하는 근육이고 협력근은 운동 시 주동근을 돕는 근육을 지칭할 때 쓰는 말이다.

30 조혈작용은 골격계의 기능이다.

31 확산은 에너지의 공급없이 일어나는 물리적인 이동인 수동이동의 하나로 고농도에서 저농도로의 물질분자이동을 말한다.

32 경추 6개, 흉추 12개, 요추 5개, 천골 1개, 미골 1개

33 삼차 신경은 각막, 누선, 상순, 윗니, 아랫니 지각 등의 감각신경 기능, 저작운동의 운동신경 기능이 있다.

34 림프의 주된 기능은 과도한 물과 단백질, 노폐물 등을 흡수하여 혈관계로 돌려주고 지용성 영양분을 흡수하며, 감염으로부터 조직을 보호하는 역할이다. 보기에는 면역작용이 이에 속한다.

35 확대경과 우드램프는 피부분석 시에 관리사만이 볼 수 있다. 브러싱은 안면피부미용을 위한 기기이다. 스킨스코프는 정밀하게 촬영된 상태를 모니터를 통해 관리사와 고객이 같이 관찰할 수 있다.

36 바이브레이터기는 진동의 원리를 이용한 기기로서 회전하는 헤드는 피부에 90도 직각으로 대고 피부를 가볍게 누른 상태에서 손목으로 회전하는 것이 아니고 헤드 자체가 회전하는 기기이다.

37

음극(–)	양극(–)
알칼리 반응	산성반응
모공세정	수렴작용
혈액공급 증가	혈액공급 감소
조직을 부드럽게 함	조직을 단단하게 함
신경자극	신경진정
음이온 물질침투에 사용	양이온 물질침투에 사용

38
- 직류전류(direct current, DC) : 전류 흐름의 방향이 시간의 흐름에 따라 변하지 않는 전류를 말한다. 대표적으로 갈바닉, 리프팅 기기가 있으며, 종류로는 평류전류, 단속평류전류가 있다.
- 교류전류(alterrnating current, AC) : 전류의 방향과 크기가 시간의 흐름에 따라 주기적으로 변하는 전류를 말한다. 대표적인 기기로는 저·중·고주파기가 있으며, 종류로는 정현파전류, 감응전류, 격동전류가 있다.

39
- 건성 피부는 영양, 재생을 목적으로 한다.
- 지성 피부는 세정작용, 노폐물 배출 작용, 박테리아 살균 및 소독작용을 목적으로 한다.
- 복합성 피부는 보호, 진정, 냉효과와 더불어 영양, 재생 효과를 같이 줄 수 있도록 한다.

40

관리종류	관리효과
고주파 직접법	• 피부에 건조효과를 주어 지성, 여드름 피부에 적용한다. • 오존을 발생시켜 박테리아 살균 및 소독 작용이 일어난다.
고주파 간접법	• 건성 및 노화피부의 혈액순환을 촉진시킨다. • 심부열 발생으로 인해 피부의 긴장을 이완시킨다. • 크림의 흡수를 돕는다. • 심부열 발생으로 피지선의 활동이 증가되어 건성 및 노화된 피부에 윤택을 부여한다. • 피부조직의 재생력이 좋아진다.

41 캐리어(Carrier) 또는 베이스(Base) 오일로 불리는 식물성 오일은 에센셜 오일의 자극을 낮추고, 피부흡수를 높이는 역할을 한다.

42 리퀴드 파운데이션은 O/W형(물에 오일이 분산되어 있는 상태) 유화타입으로 사용감이 산뜻하고 가벼우며, 피부의 결점이 별로 없는 경우에 주로 사용된다.

43 알부틴은 대표적인 미백에 도움을 주는 제품으로서 티로시나아제 형성을 억제하는 효과가 있다.

44 화장품의 4대 요건은 안전성, 안정성, 사용성, 유효성이다.

46 페이스 파우더는 색조 화장품인 메이크업 화장품에 속한다.

47 유아용 제품에 주로 사용되는 계면활성제는 양쪽성 계면활성제로서 물에 용해될 때, 친수기에 양이온과 음이온을 동시에 갖고 있다.

48 **제1군 감염병**
세균성 이질, 장티푸스, 장출혈성 대장균 감염증, 파라티푸스, 페스트, 콜레라

49
- 트라코마 : 성교 시 점막 삼출물의 접촉을 통해
- 렙토스피라증 : 감염된 동물(주로 설치류)의 소변을 통해 균 배설, 이로 인해 점막이나 상처난 피부를 통해 감염
- 파라티푸스 : 보균자나 환자의 대소변과 직접, 간접적으로 접촉할 때

50 공중보건학의 대상은 개인이 아니라 광범위하게 집단 또는 지역사회 전체주민을 대상으로 삼는다.

51 **독소형 식중독**
황색 포도상구균, 보톨리누스균, 웰치균

52 **고압증기 멸균법**
압력을 이용한 증기 멸균기로 아포를 포함한 모든 미생물을 멸균시키는 가장 효과적인 방법이다.

53 **소독**
감염을 일으킬 수 있는 병원성 미생물을 파괴하여 감염력을 없애는 조작

54 $(1/100)\times100=1\%$

55 가스괴저균은 혐기성균의 일종이다.

56 **영업소**
1차 : 영업정지 2월, 2차 : 영업정지 3월, 3차 : 영업장 폐쇄명령
미용사(업주)
1차 : 면허정지 2월, 2차 : 면허정지 3월, 3차 : 면허취소

57 **공중위생관리법 제18조(위임 및 위탁)**
보건복지부장관은 권한의 일부를 대통령령이 정하는 바에 의하여 시·도지사, 시장·군수·구청장 또는 관계전문기관에 위임 및 위탁할 수 있다.

58 **공중위생관리법 시행규칙 제12조1항**
면허의 정지명령을 받은 자는 지체없이 관할 시장·군수·구청장에게 면허증을 반납

59 **공중위생관리법 제4조4항1호**
의료기구와 의약품을 사용하지 아니하는 순수한 화장 또는 피부미용을 할 것

60 **공중위생관리법 제3조의2(공중위생영업의 승계)**
1. 양도, 사망 또는 법인의 합병이 있는 경우
2. 압류재산의 매각 그 밖에 이에 준하는 절차에 따라 공중위생영업 관련시설 및 설비의 전부를 인수한 경우

피부미용사필기시험

2009년 5회 정답

1	라	2	라	3	가	4	라	5	라	6	라	7	가	8	나	9	가	10	다
11	라	12	라	13	나	14	가	15	라	16	라	17	가	18	나	19	가	20	나
21	라	22	라	23	다	24	나	25	나	26	가	27	나	28	라	29	라	30	다
31	가	32	라	33	라	34	나	35	나	36	라	37	나	38	라	39	가	40	나
41	나	42	다	43	나	44	다	45	라	46	나	47	라	48	나	49	나	50	라
51	나	52	라	53	나	54	나	55	라	56	다	57	가	58	라	59	라	60	나

1 지성피부 관리방법 중 클렌징의 경우 유분이 적고 산뜻한 젤 및 워터 타입을 사용하고 토너는 피지조절과 항균작용을 해줄 수 있는 종류로 선택한다.

2 나, 라. 상담자는 고객이 방문한 목적이 무엇인지 경청하고, 전문적인 지식을 바탕으로 피부에 관련된 조언을 하여 피부관리에 대한 지식을 알 수 있게 하며, 피부관리에 대하여 긍정적이고 적극적일 수 있게 한다.
다. 상담실은 관리실과 구분된 독립된 장소를 선택하고 편안한 분위기를 연출하여 고객이 경계심을 풀고 심리적으로 안정되게 한다.

4 가. 제모하기 적당한 털의 길이는 1cm이다.
나. 온왁스는 스트립과 하드왁스로 나뉘며, 이 왁스가 녹는점이 높으므로 도포하기 알맞은 점성이 되려면 데우는 시간이 필요하다.
다. 머절린을 털이 난 방향으로 밀착하고 털의 반대방향으로 빠르게 떼어낸다.

5 왁스를 이용한 제모에는 온(warm)왁스와 냉(cool)왁스로 나뉘고, 온왁스의 종류 중 부직포를 이용하여 떼어내는 방법인 스트립 타입과 부직포를 사용하지 않고 왁스 자체를 떼어내면서 헤어를 제거하는 하드타입이 있다.

6 라. 젤라틴 팩은 필오프 타입의 팩이다.

8 나. cosmetic(kosmetic)의 어원은 그리스어의 Kosmos(우주)에서 유래되었다.

10
- 냉습포 : 혈관수축, 모공수축, 진정, 수렴효과 및 피부를 긴장시킨다.
- 온습포 : 혈관확장, 모공확장, 혈액순환촉진, 근육이완 및 잔여물 제거에 효과적이다.

11 **쓰다듬기(경찰법, Effeurage)**
- 손가락면 또는 손바닥 전체를 이용하여 가볍게 쓸어주는 동작
- 모든 동작의 시작과 마무리, 또는 연결동작에 사용하며, 혈액과 림프순환 촉진, 신경안정, 긴장완화의 효과가 있다. 눈 주위는 부드럽고 자극이 적은 쓰다듬기 동작이 가장 적합하다.

12 딥 클렌징의 효과는 피지와 노화된 각질정리, 노화된 각질탈락으로 인한 간접재생, 피부 청량감, 유효성분의 침투 촉진이다.
라. 팩의 효과이다.

13 청결하게 하기 위해서 따뜻한 물에 손을 깨끗이 씻은 후 바로 마사지한다. 매뉴얼 테크닉 전 관리사의 손은 언제나 따뜻해야 한다.

14 마사지 및 수욕법은 식사직후에는 피한다. 식사 후 30~40분 이후가 가장 적당하다.

15 이온토포레시스는 전극을 이용하여 피부 속으로 유효성분을 침투시키는 영양관리방법이다.

16 부종 감소는 림프 드레나쥐 시 더 큰 효과가 있다.

17 콜라겐 벨벳마스크는 30분 정도 피부에 밀착 후 떼어내는 것으로 남은 내용물을 두드려 흡수

하는 마스크이다. 주로 시트타입으로 사용된다.

18 셀룰라이트는 신진대사 저하로 인하여 체내에 불필요한 노폐물 및 수분, 지방이 쌓이면서 피부가 울퉁불퉁 귤껍질처럼 보이는 현상이다. 주로 혈액순환, 림프순환이 잘 안 되는 경우 노폐물들이 배출이 잘 안되어 생기므로 림프순환을 촉진시키는 관리를 중점적으로 해준다.

19 케라티노싸이트(각질형성세포)와 멜라노싸이트(색소형성세포)가 있는 층은 표피층의 가장 아래에 위치하는 엄마층인 기저층이다.

20 산소라디칼은 유해산소, 자유기(free-radical)라고 하며 자외선, 과식, 과다한 운동을 할 경우 많이 발생한다. 유해산소를 억제하기 위해서 SOD(super oxide dismutase)라는 효소가 생성되어 노화를 예방한다. FDA는 식품의약청, AHA(Alpha hydrexy acid)는 과일산을 총칭하는 단어이고, NMF(Natural moisturizing Factor)는 천연보습인자를 말한다.

21 피부의 기능으로는 보호작용, 분비작용, 체온조절작용, 감각·지각작용, 호흡작용, 비타민D 합성작용 등이 있다.

22 유극층에 존재하는 랑게르한스세포는 면역을 담당하는 세포로 나이가 들수록 감소한다. 또한 노화 피부의 증상으로는 피부의 두께는 얇아지고 각질의 두께는 두꺼워지며, 주름, 피부의 처짐(탄력), 보습의 상태는 감소된다.

23 갑자기 살이 찌는 경우는 주름이 오히려 감소되어 보이기도 한다. 하지만 있었던 주름이 없어지는 것은 아니다. 임신이나 급격히 살이 찐 경우는 튼살이 생길 수도 있다.

24 소포체는 리보솜이 붙어 있으면 조면소포체(조면형질내세망), 리보솜이 없으면 활면소포체(골면형질내세망)라고 한다. 무과립은 리보솜이 붙어있지 않는 것을 말한다.

25 곰팡이균(진균)에 의한 피부질환으로는 무좀(백선)이 있다.

26 아포크린선(대한선)은 여성이 남성보다 더 강하다.

27 피부의 가장 이상적인 pH 범위는 4.5~6.5인 약산성 피지막을 나타낸다.

28 뼈의 길이 성장은 골단연골(골단판, 성장판)이 연골조직일 경우 성장호르몬의 영향을 받아 성장할 수 있다.

29 '세포발전소'라고도 불리는 미토콘드리아는 생물이 직접 이용할 수 있는 에너지 형태인 ATP를 만들어내는 세포에너지 형성기관이다.

30 평활근은 자율신경의 지배를 받는 불수의근이며, 무늬가 없는 민무늬근이다. 심근은 자율신경의 지배를 받으나 가로무늬근이며, 골격근은 자율신경의 지배를 받지 않는 수의근이고 가로무늬를 갖는다, 승모근은 골격근의 한 종류이다.

31 근세포가 자극을 받아 흥분을 일으키면서 근섬유가 수축하여 운동이 일어나는데 근원섬유는 액틴과 미오신으로 구성되어 있다.

32 모세혈관은 단층내피세포로 이루어져 있다.

33 췌장에서는 외분비(이자액), 내분비(인슐린, 글루카곤 등의 호르몬)가 다 일어난다.

34 신경전달의 구조적·기능적 최소단위는 신경원(뉴런)이다.

35 고주파의 간접법은 고객의 얼굴에 오일이나 크림을 도포한 후 관리사의 손으로 가볍게 마사지하는 방법이다.

다. 고주파의 직접법이다.

36 정상피부 : 청백색
건성피부 : 밝은 보라색
민감성피부 : 진보라색
피지·면포·지성피부 : 오렌지색
두꺼운 각질부위 : 흰색
색소침착부위 : 암갈색

37

색광	파장	효과
빨강(Red)	600~700nm	혈액순환증진과 심장 기능 활성화
주황(Orange)	500~600nm	내분비계 기능 활성화
노랑(Yellow)	580~590nm	소화기계 기능 강화
초록(Green)	500~550nm	신경안정 및 신체 평형 유지
파랑(Blue)	450~480nm	안정감과 진통 및 최면 효과
보라(Violet)	420~460nm	림프계에 활성화

38 • 베퍼라이저, 브러싱 머신, 진공흡입기 : 클렌징, 딥 클렌징
- 확대경 : 피부분석

39 전하란 물체가 띠고 있는 정전기의 양 같은 부호의 전하 사이에는 미는 힘이, 다른 부호의 전하 사이에는 끄는 힘이 작용한다. 이것이 이동하는 현상이 전류이다.

40 • 원자가 전자를 얻거나 잃으면 이온이라 한다.
- 원자가 전자를 잃으면 양이온이라 불리는 양전하를 띤 이온이 되며, 원자가 전자를 얻으면 음이온이라 불리는 음전하를 띤 이온이 된다.
- 증류수에는 이온들이 없는 순수한 H_2O만 이루어져 있기 때문에 전류가 통하지 않는다.

41 향수는 방향용 화장품으로 향취를 부여하는 목적으로 사용되어지므로 어느 정도의 지속성을 가지고 있어야 하며, 함량의 차이로 향의 농도와 지속성이 다르며 그에 따라 아래와 같이 나뉘어진다.
- 함량에 따른 분류
- 퍼퓸(perfume) : 향의 농도 15~30%, 지속시간 6~7시간
- 오데퍼퓸(Eau de Perfume) : 향의 농도 9~12%, 지속시간 5~6시간
- 오데토일렛(Eau de Toilet) : 향의 농도 6~8%, 지속시간 3~5시간
- 오데코롱(Eau de Cologne) : 향의 농도 3~5%, 지속시간 1~2시간
- 샤워코롱(Shower Cologne) : 향의 농도 1~3%, 지속시간 1시간

42 • 계면이란 고체, 액체, 기체 등 물질 상호간에 서로 성질이 다를 경우 생기는 경계면을 말하며, 계면을 활성화시켜 그 경계면을 잘 섞이게 하는 활성물질을 계면활성제라 한다.
- 계면활성제는 표면활성제라고도 하며, 한 분자 내에 친수성기와 친유성기를 함께 가지고 있는데 계면에 흡착하여 표면장력을 감소시키는 물질이다.
- 계면활성제의 작용으로는 유화, 가용화, 분산, 침투, 기포, 습윤, 세정 등이 있다.

43 기초화장품의 종류로는 세안용, 화장수, 에센스, 로션, 크림, 팩, 마스크가 있으며 세정작용, 보호, 정돈의 기능을 목적으로 사용된다.

44 A·H·A는 Alpha Hydroxy Acid의 약자이며, 각질제거, 피부 간접재생의 효과가 뛰어나고 유연기능과 보습의 기능이 있다. 과일이나 채소에서 추출한 천연산을 말하며 농도에 따라 다양한 효능으로 적용할 수 있으며 피부에 도포시 따끔거림이 있다.

A·H·A의 종류

구분	구성	추출	효능 및 특징
주요 산	글라이콜릭산(Glycolic Acid)	사탕수수	A·H·A 중에서 분자량이 가장 작아 침투력이 우수하다.
	젖산(Lactic Acid)	우유	•보습 효과가 우수하다. •세라마이드 양을 증가시킨다.
	사과산(Malic Acid)	사과	약간의 박테리아 성장을 억제한다.
	주석산(Tataric Acid)	포도	다른 종류의 A·H·A 성분의 효능을 강화시킨다.

구분	구성	추출	효능 및 특징
	구연산 (Citric Acid)	오렌지	·화장품의 pH를 조절하는 기능을 한다. • 산화방지제로 작용한다.

45 화장품과 의약품의 구분

1. 화장품 : 일반인의 피부 청결, 미화, 보호를 위해 장기적으로 사용가능한 물품
2. 의약외품 : 일반인이 사용하는 물품 중에서 어느 정도의 약리학적 효능, 효과를 나타내기 위해 장기적 또는 단기적으로 사용하는 물품
3. 의약품 : 환자에게 질병치료 또는 진단을 목적으로 일정기간 사용하는 약품

	화장품	의약외품	의약품
대상	정상인	정상인	환자
목적	청결, 미화	위생, 미화	(질병의)진단 및 치료
기간	장기간	단기간/장기간	단기간
부작용	없어야 함	없어야 함	있을 수 있음

46 • 검화법 : 유지를 알칼리로 가수분해하면 글리세롤을 형성하는 비누 제조법

• 중화법 : 유지를 산이나 금속산화물 같은 촉매를 사용하여 고온고압에서 가수분해하여 글리세롤과 지방산으로 분해하여 거기서 얻어진 지방산을 정제한 알칼리로 중화시켜서 비누를 제조하는 방법으로 글리세린을 만들어내시는 못한나.

47 방향용 화장품은 향취를 부여하여 목적으로 사용되며, 그 종류로는 향의 휘발성과 지속성, 향의 함량에 따라 퍼품, 오데퍼퓸, 오데뚜왈렛, 오데코롱, 샤워코롱 등으로 분류된다.

48 감염병 관리

쥐는 페스트, 발진열, 살모넬라증, 렙토스피라증, 양충병 등을 일으키는 병원체의 동물 병원소이다.

49 보툴리누스균 : 통조림, 소세지 등의 식품을 혐기성 상태에서 발육하여 신경독소를 분비

50 제1군 법정 감염병

세균성이질, 장티푸스, 장출혈성 대장균 감염증, 파라티푸스, A형 간염, 콜레라

51 영아사망률

연간 태어난 출생아 1,000명 당 만1세 미만에 사망한 영아수의 천분비로서 건강수준이 향상되면 영아사망률이 감소하므로 국민보건 상태의 측정지표로 널리 사용

52 소독

• 염소제(표백분)소독 : 강한 살균력과 표백, 방취 효과가 있으며, 음료수, 야채, 식품, 하수구 , 수세식 변소, 많은 양의 물 소독 등에 이용

• 승홍액 : 섬유류 유리, 목재, 도자기 등의 소독에 이용되나 독성이 강하므로 식기류나 금속류에는 사용하지 않음

53 과산화수소

병원체를 산화시켜 살균하며, 자극성이 적어 피부, 구내염, 입 안 상처 등의 소독에 이용

54 알코올

병원균의 단백질을 응고시켜 살균효과를 나타냄

55 자비소독

1. 물에 탄산나트륨(중조) 첨가 시 살균력이 강해짐
2. 100℃에서 15~20분간 가열
3. 식기류, 도자기류, 의류소독에 적합

56 공중위생관리법 제13조(위생서비스수준의 평가) 제1항

시·도지사는 공중위생영업소의 위생관리수준을 향상시키기 위하여 위생서비스평가계획을 수립하여 시장·군수·구청장에게 통보

57 공중위생관리법 시행령〈별표〉행정처분기준

신고를 하지 아니하고 영업소의 소재지를 변경한 때, 1차 위반 : 영업장 폐쇄명령

58 공중위생관리법 제20조〈벌칙〉제1항

1년 이하의 징역 또는 1천만원 이하의 벌금

1. 영업 신고를 하지 아니한 자
2. 영업정지명령 또는 일부 시설의 사용중지명령을 받고도 그 기간중에 영업을 하거나 그 시설을 사용한 자 또는 영업소 폐쇄명령을 받고도 계속하여 영업을 한 자

59 공중위생관리법 시행령 제9조의2(명예공중위생감시원의 자격 등)

1. 공중위생에 대한 지식과 관심이 있는 자
2. 소비자단체, 공중위생관련 협회 또는 단체의 소속직원 중에서 당해 단체 등의 장이 추천하는 자

60 공중위생관리법 시행령〈별표〉행정처분기준

1차위반 : 경고, 2차위반 : 영업정지 5일, 3차위반 : 영업정지 10일, 4차위반 : 영업장 폐쇄명령

피부미용사필기시험

2010년 1회 정답

1	라	2	라	3	나	4	나	5	다	6	다	7	라	8	라	9	가	10	가
11	가	12	라	13	나	14	다	15	라	16	다	17	나	18	라	19	다	20	라
21	나	22	라	23	나	24	다	25	나	26	라	27	나	28	나	29	라	30	라
31	가	32	가	33	나	34	다	35	라	36	다	37	가	38	다	39	나	40	라
41	라	42	다	43	라	44	다	45	라	46	나	47	나	48	나	49	가	50	다
51	다	52	가	53	다	54	다	55	나	56	가	57	가	58	라	59	라	60	가

1 레몬은 비타민C와 구연산이 많아 신맛이 강하며, 휘발성이 있어 시원하고 청량한 느낌이 난다. 또한 소독, 수렴, 방부의 기능을 가지고 이뇨를 촉진하거나 면역력을 증가시키는 효과를 보인다. 색소침착 피부나 지성·여드름 피부에 사용되며, 민감한 피부는 사용 시 주의해야 한다. 대표적인 피부진정작용을 하는 아로마 에센셜 오일은 카모마일이 있다.

레몬

- 효과 : 집중력 강화, 강력한 살균, 백혈구를 자극하여 면역력 증감, 우울증과 무기력증 회복
- 신체효과 : 정맥류, 고혈압, 셀룰라이트, 비만에 효과적, 관절염, 근육통 완화 및 혈관 정화 등
- 피부효과 : 여드름·지성 피부, 상처부위 완화, 사마귀 제거, 기미 완화 등

2 상담 시 상담자는 고객이 방문한 목적이 무엇인지 경청하고 전문적인 지식을 바탕으로 관련된 조언을 하도록 하며, 관리실의 매뉴얼을 이용하여 다양한 프로그램을 소개한다. 또한 너무 사적인 대화나 고객이 불편할 수 있는 질문은 피하노록 한다.

3 안면클렌징은 피부결 방향으로 시술하며 자극 없이 깨끗이 빠르게 제거한다.

4 두발은 헤어분야이지만 두피는 피부의 한 부분으로써 피부관리(skin care)에 인정되므로 피부관리(skin care)의 범위는 두피를 포함한 얼굴 및 전신의 피부를 말한다.

5 머드팩은 노폐물 제거, 피지흡착기능이 우수하여 지성, 여드름성 피부에 주로 쓰인다.

6 림프 드레나쥐는 림프의 흐름을 촉진시킴으로써 노폐물, 독소배출과 과잉수분 및 부종을 완화시켜 준다.

7 포인트클렌징으로 예민한 부위인 눈과 입술을 닦아주며, 눈과 입술을 제외한 나머지 데콜테·목·안면부위의 클렌징으로 피부 타입에 따라 적당한 클렌징제를 선택하여 클렌징 손동작을 한 후 제거를 한다. 마지막으로 온습포를 이용하여 화장품의 잔여물 및 노폐물을 제거한다.

8 오일이 함유되어 있지 않은 오일 프리 화장품은 지성, 여드름 피부에 주로 사용된다.

9 정상 각질층의 수분함유량은 15~30%이며, 건성 피부의 각질층 수분은 10% 이하로 부족하다.

10 화학적 제모는 모근을 제거한다.

11 스크럽–물리적, 아하(A·H·A)–화학적, 효소–화학적

12 자외선에 의해 손상된 피부에 필링을 하는 것은 적합하지 않다.

13 가. 프릭션(문지르기–손가락 끝부분을 이용하여 원을 그리며 문지르기)
나. 페트리사지(유연법–4가지)

-롤링 : 나선형으로 문지르며 하는 압박유연 기법
-처킹 : 가볍게 상하운동하듯이 주무르는 기법
-린징 : 비틀듯히 행하는 기법
-풀링 : 피부를 주름잡듯이 행하는 기법
라. 바이브레이션(진동법-손바닥이나 손가락 끝을 이용하여 진동을 주는 방법)

14 가. 심부전증의 적용을 가진 사람은 격하거나 너무 이완이 되는 동작은 피하는 것이 좋다.
다. 켈로이드증 : 이 증상은 흉터의 형태이기 때문에 림프의 효과를 가지는 배농효과하고는 전혀 상관이 없다.
라. 급성염증 : 염증이 있는 사람은 염증이 더 부위가 넓어질 수 있기 때문에 림프관리는 피해주시는 것이 좋다.

15 치료는 피부미용의 영역이 아니다.

16 온습포는 잔여물 제거, 모공확장, 근육이완, 혈관확장의 기능이며, 냉습포는 혈관수축, 진정, 모공수축의 기능이 있다.

17 매뉴얼 테크닉은 심장에서부터 멀리 떨어진 말초부위부터 시행하는 것이 올바르다.

18 왁스를 이용한 제모는 넓은 부위를 가장 빠르게 제모할 수 있는 장점을 가지고 있으며, 피부미용실에서 가장 많이 사용되고 있는 방법이다.

19 과립층에는 수분저지막(Rain Membrane)이 있어 외부물질에 대한 방어역할과 수분 유출을 막는다.

20 원발진은 건강한 피부에 처음으로 나타나는 병적변화를 말하며, 반점, 반, 구진, 농포, 결절, 낭포, 판, 종양, 팽진, 두드러기, 소수포, 대수포 등이 이에 속한다.

21 접촉성 피부염은 외부 자극제나 알레르기를 일으키는 물질과의 접촉에 의해 발생하는 피부염을 말한다. 금은 알레르기성 접촉피부염으로 누구에게나 알러지원으로 작용하는 것이 아니라 특수물질에 감작된 특정인들에게만 나타나는 알러지원이다.

22 사립체(미토콘드리아)는 2중막으로 되어 있으며 '세포의 에너지(ATP) 형성'과 세포 호흡의 주된 기관을 말한다.

23 식염(Nacl)은 즉 소금을 말한다. 세포외액의 주요이온으로 삼투압조절기능, 산과 염기의 평형유지, 신경자극전달 기능에 관여하며, 결핍 시 근육경련, 노동력 저하 등의 증상을 나타낸다.

24 셀룰라이트란 혈액순환 또는 림프순환과 같은 신진대사의 문제 등에 의하여 특정 부위에 피하지방 등이 과다하게 쌓여 뭉치면서 피부가 오렌지 껍질처럼 울퉁불퉁해진 상태를 말한다.

25 영양학에서 주로 사용되는 용어로 기초대사량(=기초대사율)은 기본적인 생명활동을 유지하는데 필요한 최소한의 에너지를 말한다. 수면 중, 체온, 환경, 운동, 흡연 등은 기초대사량의 변화에 영향을 준다.

26 티눈은 압력과 마찰로 인하여 각질이 두꺼워지는 현상으로 중심핵을 가지고 있는 것이 특징이다. 굳은살이 주로 발바닥에 생긴다면 티눈은 주로 발가락 위나 발가락 사이에 나타난다. 주로 신발에 의해 생기는 딱딱한 경성티눈과 주위 발가락과의 마찰에 의해 생기는 부드러운 연성티눈으로 나뉠 수 있다.

27 나. 한선의 설명 중 아포크린선(Apocrine Gland)의 설명이다.

28 백혈구는 외부로부터 침입한 세균 등을 세포내로 끌어들여 섭식함으로써 감염을 조절하고 항체를 생산한다.

29 세포막을 통한 물질의 이동 방법에는 능동이동과 확산, 삼투, 여과 등의 수동이동이 있다.

30 심막은 심장에 있는 막이다.

31 중추신경계에 뇌와 척수가, 말초신경계에 체성신경(뇌신경, 척수신경), 자율신경(교감신경, 부교감신경)이 포함된다.

32 췌장은 외분비로 이자액(단백질, 지방, 탄수화물 분해)분비, 내분비로 인슐린, 글루카곤 호르몬을 분비한다.

33 뇨(오줌)는 여과(사구체→보먼주머니), 재흡수(세뇨관→모세혈관), 분비(모세혈관→세뇨관)의 과정을 통해 생성된다.

35 가. 분무기 : 스킨 토닉 분무시
나. 전동브러시 : 클렌징, 딥 클렌징
다. 리프팅기 : 영양물질 침투 시

36 주파수가 높아 인체를 통과해도 자극을 느낄수 없는, 테슬라 코일에서 발생한 수십만 볼트의 고압전류

37

음극(−)	양극(+)
알칼리 반응	산성반응
모공세정	수렴작용
혈액공급 증가	혈액공급 감소
조직을 부드럽게 함	조직을 단단하게 함
신경자극	신경진정음
이온 침투물질에 사용	양이온 물질침투에 사용

38
- 피부분석 : 확대경, 우드램프, 모니터측정기, 유분측정기, 수분측정기, pH측정기, 체지방측정기
- 클렌징, 딥 클렌징 : 스티머, 브러쉬 기기, 진공 흡입기, 스킨스크러버, 갈바닉의 디스인크러스테이션
- 스킨 토닉 분무 시 : 분무기, 루카스
- 영양물질 침투 : 적외선 램프, 갈바닉의 이온토프레시스, 고주파기, 리프팅기계, 피부관리용 초음파

39 스팀분사 방향을 코를 향하도록 하게 되었을 때 고객의 코를 막을 수 있기 때문에 방향을 잘 잡아준다.

40 변형력이라고도 하며, 물리학이나 공학에서 외부에서 가해진 힘, 불균일 가열 또는 영구 변형의 결과로 발생하는 단위면적당 힘

41 화장품의 기능상으로 모발화장품과 전신화장품을 구별하여 분류한다. 모발화장품은 헤어에센스는 두피나 헤어에 사용하는 화장품으로 모발 화장품에 속하며, 샤워젤, 바스오일, 데오드란트(액취방지제)는 전신화장품이다. 이외에도 바디크림, 선탠오일도 포함된다.

42 기능성 화장품은 미백에 도움을 주거나 주름개선에 도움을 주거나 자외선으로부터 피부를 보호하거나 곱게 태워주는 화장품을 말한다. 여드름을 개선하는 데 도움을 주는 화장품은 기능성화장품 범주에 속하지 않는다.

43 화장품의 정의를 보면 그 목적이 인체를 청결, 미화하고 용모를 아름답게 하는데 있으며, 피부, 모발의 건강을 유지 또는 증진시키기 위해 사용되어지는 제품을 일컫는다. 그에 인체에 대한 효과, 효능이 경미한 것을 포함한다. 인체에 약리적인 효과를 주는 것은 의약품에 대한 설명이다.

44 가, 나, 라는 기초화장품으로 분류하고 세안, 정돈, 보호의 목적을 가지며, 샴푸는 모발화장품으로 분류되고 두피나 모발의 청결을 목적으로 사용된다.

46 아로마를 사용하는 방법 중 인체에 흡수하는 방법은 코나 피부에 흡수시키는 방법이며, 코를 통한 흡수방법은 흡입법과 확산법이 있다. 흡입법은 건식흡입법과 수증기흡입법이 있으며, 수건에 적셔 흡입하거나(라), 입욕 시에 수증기로 흡입하는 방법(가)이 있다. 확산법은 램프나 스프레이를 이용하는 방법을 말한다.

48
- 살모넬라 식중독 : 독소에 의한 식중독과는 달리 발열, 오한, 몸살 질환
- 보툴리누스균 식중독 : 식중독 중 치명률이 가장 높다. 독소형 식중독(사망에 이를 수 있다)
- 웰치균 식중독 : 구토, 설사, 복통 증세

• 알레르기성 식중독 : 입·귀·눈꺼풀 열감, 나른하여 졸음이 오며, 얼굴이나 몸에 크고 작은 불규칙 발진

49 A형감염 : 지정
• 레지오넬라종 : 제3군
• 한센병 : 제3군

50 • 개달물 : 물, 우유, 식품, 공기, 토양을 제외한 비활성 매체(의복, 침구, 완구, 책 등)
• 개달물 감염 : 환자가 사용하는 의복, 책, 침구, 완구(개달물)에 의한 감염병의 전파
• 개달물에 의한 대표적 질환으로는 트라코마이다.

51 • 발진티푸스 : 감염된 이에 물리거나 감염성을 가진 배설물이나 분비물에 상처난 피부나 점막이 노출되어 감염됨
• 파리가 매개할 수 있는 그 외의 질병 : 파라티푸스, 결핵, 세균성질병, 결핵, 나병 등

52 소독 시 소금 또는 염화칼륨, 식염 등을 첨가하면 용액이 중성으로 되고 자극성이 완화되며 소독력이 강해진다. 대변이나 토사물과 혼합하면 살균효과가 저하되므로 대변이나 토사물 소독에는 사용되지 않는다.

53 무수(100%)알코올보다 70% 농도일 때 고살균력을 지닌다. 즉, 농도가 높다고 해서 살균력이 높은 것은 아니다.

54 **바이러스 특징**
• 병원체 중 가장 크기가 작고 전자현미경으로 관찰이 가능
• 살아있는 세포 내에서만 증식
• 항생물질에 대한 감수성이 없다.

55 • 석탄산 : 배설물 및 유기질에 효과 그 외 수지, 의류, 침구커버, 브러시, 고무제품 등
• 과산화수소수 : 2.5~3.5%의 수용액을 사용하고 피부소독에 주로 사용하며, 화농성 피부질환 소독이나 인두염, 구내염 또는 구내세척제로 사용하고 산화 살균제이다.
• 포르말린수 : 메틸알코올에 증기를 가열하여 물에 농축하여 얻음. 실내소독, 의류, 침구, 가구, 서적, 목제 등 소독시 사용
• 차아염소산나트륨 : 식품의 부패균이나 병원균을 사멸하기 위하여 살균제로서 사용. 음료수, 채소 및 과일, 용기·기구·식기 등에 사용

56 • 1차 위반 : 영업정지 1월
• 2차 위반 : 영업정지 2월
• 3차 위반 : 영업 폐쇄명령

57 나 : 영업정지 2월, 다 : 경고, 라 : 경고

58 변경신고 대상
– 영업소 명칭 또는 상호
– 영업소의 소재지
– 신고한 영업장 면적의 3분의 1 이상의 증감
– 대표자의 성명

59 위생교육 대상자
– 미용업영업자는 매년 위생교육을 받아야 함
– 미용업 신고를 하고자 하는 자는 미리 위생교육을 받아야 함
– 위생교육을 받아야 하는 자 중 영업에 직접 종사하지 아니하거나 둘 이상의 장소에서 영업을 하는 자는 종업원 중 영업장 별로 공중위생에 관한 책임자로 하여금 위생교육을 받게 하여야 함

60 시·도지사 또는 시장·군수·구청장은 위생서비스평가의 결과에 따른 위생관리 등급별로 영업소에 대한 감시를 실시해야 한다. 이 경우 영업소에 대한 출입, 검사와 위생감시의 실시주기 및 횟수 등 위생관리 등급별 감시기준은 보건복지부령으로 정한다.

피부미용사필기시험

2010년 2회 정답

1	라	2	라	3	나	4	다	5	나	6	라	7	나	8	나	9	가	10	나
11	다	12	라	13	가	14	라	15	라	16	가	17	나	18	다	19	나	20	라
21	나	22	나	23	가	24	나	25	다	26	가	27	나	28	나	29	나	30	라
31	나	32	라	33	나	34	가	35	나	36	나	37	다	38	가	39	다	40	나
41	라	42	라	43	다	44	다	45	라	46	나	47	라	48	라	49	나	50	다
51	나	52	라	53	나	54	가	55	다	56	다	57	다	58	가	59	다	60	가

1 피부미용사의 피부분석방법에는 견진법, 촉진법, 문진법이 주로 사용되며, 청진법은 의료영역이다.

- 견진법 : 관리사의 눈이나 기기를 이용하여 피부색, 피지분비, 피부두께, 피부결, 보습상태, 예민도, 색소, 여드름 상태를 알아보기 위한 방법
- 촉진법 : 탄력, 함수량, 피부두께, 피부결 및 예민도를 알아보기 위해 손가락으로 집거나 스파츌러로 살짝 눌러보는 방법
- 문진법 : 개인의 신상과 라이프스타일, 건강상태, 피부문제점 및 발생시기, 스트레스에 대해 알아보는 방법

2 림프 드레나쥐는 민감성 피부(주사, 홍반, 모세혈관 확장), 여드름 피부, 부종, 셀룰라이트 피부에 좋으며, 감염성 피부는 감염질환의 진행 과정에서 몸 전체로 염증이 퍼져 나타날 수 있으므로 림프 드레나쥐 관리를 피해주는 것이 좋다.

3 셀룰라이트(cellulite)발생은 유전적, 내분비적 그리고 외부적인 요인에 의하며, 발생원인은 지방축적 또는 이와 관련없이 여성호르몬의 분비 등으로 인한 미세순환계의 압박 또는 정체, 조직의 경직 등으로 발생 가능하다.

4 눈과 입술의 화장을 지울 때에는전용 포인트 클렌징 리무버를 사용하는 것이 좋으며, 클렌징 밀크는 물에 쉽게 제거되므로 피부 타입별 사용이 가능하며, 화장을 두텁게 하는 피부는 클렌징 크림을 사용하는 것이 좋다.

5 냉타월은 수렴, 진정효과가 있으므로 팩관리 후나 마무리단계 때 적용하는 것이 좋다.

6 기포가 생기는 부분에는 유효성분이 피부에 침투하지 않기 때문에 기포가 발생하지 않도록 주의하며, 앰플이나 증류수로 피부에 밀착시킨다.

7 딥 클렌징 중 효소타입을 사용할 경우 효소촉매를 위해 주로 스티머를 사용하며, A·H·A의 경우 화학적 딥 클렌징이므로 자극받은 피부를 진정시키기 위해 냉습포를 주로 사용한다.

8 딥 클렌징은 각질층 상부와 모공 내 과다한 각질과 피지를 인위적으로 제거하여 혈액순환 촉진, 유효성분 침투촉진, 간접재생, 피부청량감 효과가 있다.

9 매뉴얼 테크닉 동작 중 에플로라지(efferuage)는 손바닥 전체를 이용하여 가볍게 쓸어주는 동작으로 모든 동작의 시작과 마무리, 연결동작에 주로 사용한다.

10 화장수는 알코올 함량이 적은 것을 사용하고 보습력이 뛰어난 제품을 사용한다.

11 두드리기 효과

- 전신에 쾌감을 주고 적당한 영양분을 피부에 고루 준다.

- 근육의 수축력 증가와 신경기능 조절 효과가 있다.
- 혈액순환을 촉진시키고 피부의 탄력성을 증가시킨다.
- 근육의 피로를 풀어준다.
- 신경을 자극하여 피부조직에 활기를 불어넣는다.

12 기본 피부관리 순서
상담→클렌징→피부식별→딥 클렌징→매뉴얼 테크닉→팩 도포→마무리

13
- 화학적 제모 : 제모크림, 가루 분말제
- 물리적 제모 : 온왁스, 냉왁스, 족집게, 면도기

14 그 외의 효과
신진대사 원활, 자율신경계 조절, 긴장된 근육 이완, 탄력없는 피부 긴장감 부여, 부종 및 통증완화, 지방 감소

15 남은 왁스를 오일로 제거한 후 냉습포로 진정한다.

16 A·H·A는 화학적 딥 클렌징으로 가렵거나 따가운 자각증상을 느낄 수 있으므로 예민한 피부나, 염증, 농포, 상처부위, 모세혈관확장 피부는 딥 클렌징을 하지 않는 것이 좋다.

17 민감성 피부
- 사소한 자극에도 예민하게 반응한다.
- 탄력이 없고 혈색이 없다.
- 국부적으로 나타나는 피부홍반, 부종, 염증 현상이 나타난다.
- 피부가 얇은 부위에 색소침착이 쉽게 나타난다.
- 기후 조건에 의해 가렵고 붉은 반점이 나타난다.

18
- 피부의 노폐물과 더러움을 제거할 수 있어야 한다.
- 사용 시 피부표면을 상하게 해서는 안 된다.
- 피지막, 산성막을 파괴해서는 안된다.

위의 사항 등이 클렌징 제품 선택 시 가장 주의해야 할 점이며, 특수 영양성분은 함유되어 있지 않아도 된다.

19
- 피지선은 진피의 망상층에 위치하고 있으며, 모낭에 연결되어 있다.
- 손바닥과 발바닥을 제외한 전신에 분포되어 있으며, 이 중 얼굴에 가장 많이 분포되어 있다.
- 남녀 모공의 차이가 있으며, 피지분비는 사춘기에 가장 왕성해진다.
- 입술, 눈가 부위는 보호막인 피지분비량이 적어 건조함이 쉽게 느껴지는 부위이다.

20 피부의 결합조직이 병적으로 증식하여 단단한 융기를 만들고 표피가 얇아져서 광택을 띠며, 불그스름하게 보이는 양성종양

21 비타민은 체내 생리작용의 조절, 성장유지에 도움을 주고 항산화, 면역기능 작용을 한다.

22 피부의 대부분을 차지하고 있는 진피는 교원섬유와 탄력섬유, 무정형의 기질 등의 구성물질로 구성되어 있다.

23
- 혈관종 : 혈관이 비정상적으로 증식하는 병
- 섬유종 : 결합조직을 형성하는 섬유세포와 섬유에 의하여 구성된 양성종양
- 지방종 : 지방세포로 이루어진 양성종양

24 기미는 정신적인 스트레스를 받게 되면 스트레스 호르몬의 분비와 동시에 MSH가 증가된다. 과색소 관리방법으로는 보호, 수분공급, 각질 탈락, 미백요법 등이 있다.

25
- 가피 : 혈청과 농 및 혈액이 말라붙은 병변, 속칭 딱지를 말한다.
- 낭종 : 낭포라고도 불리우며, 액체나 반고형 물질로 인해 표면이 융기되어 있으며, 피하 지방층까지 침범하여 통증을 유발, 여드름의 가장 심각한 마지막 단계를 말한다.

26 우리 피부는 땀+피지로 되어진 약산성 피지막으로 정상적인 피부는 pH 5.5에 맞춰져 있다. 피지막에 의해 형성이 되기 때문에 우리 피부는 W/O 상태로 존재한다.

27 손톱, 발톱으로 딱딱하게 변하는 것을 하드 케라틴(hard keratin)이라고 한다. 멜라닌 색소가 많아져서 피부가 검게 되는 것을 과색소 침착

이라고 하며, 피부가 거칠어져 주름이 생겨 늙는 것을 노화라고 정의할 수 있다.

28 수면주기와 성적 성숙을 조절하는 호르몬의 뇌하수체에서 분비되는 멜라토닌이다. 티로신은 신진대사를 항진시키고 글루카곤은 혈당을 높이며, 칼시토닌은 혈장 내 칼슘 농도를 조절한다.

29 복직근은 흉골부터 치골까지 연결되는 근육으로 척추를 굴곡시키거나 허리를 구부리게 한다.

30 척수신경은 척수에서 시작하여 온 몸 각 부위로 연결된 신경다발이며(총 31쌍), 경신경(8쌍), 흉신경(12쌍), 요신경(5쌍), 천골신경(5쌍), 미골신경(1쌍), 으로 나누어진다. 미주신경(제10뇌신경)은 연수에서 나와 흉복부로 내려가며 퍼져 있는 머리를 벗어난 유일한 뇌신경이다.

31 혈액은 성인의 경우 체중의 8% 가량을 차지하며 약 6~7리터 정도이다.

32 키이모트립신은 췌장에서 분비되는 소화효소이며(트립신이 췌장에서 분비되는 것을 연상하면 좋음), 펩신은 단백질을 소화시키고 락타아제는 소장에서 분비된다.

33 골단판은 성장판 또는 골단연골이라 하며, 이곳이 연골조직일 경우 성장호르몬의 영향을 받아 성장할 수 있으나 골화(석회화)되면 성장이 멈춘다.

34 난소에서는 난자가 형성될 뿐만 아니라 여성호르몬인 에스트로겐과 프로게스테론이 분비된다.

35
- 전기분해 : 물질에 전류를 흘려 화학변화가 일어나게 하는 과정
- 혼합물 : 둘 이상의 여러 물질이 화학반응 없이 섞여 있는 것을 말한다.
- 분자 : 물질의 성질을 기지고 있는 최소의 단위

36
- 볼트(Volt) : 전류를 흐르게 하는 압력으로 전위차를 나타내는 전압의 단위
- 와트(Watt) : 1초 동안 공급되는 전기에너지로 전력의 단위
- 주파수(Hz) : 단위시간 당 진동 단위

37 엔더몰로지는 시술 전 적용할 부위를 깨끗이 클렌징한다. 지방분해와 셀룰라이트 분해에 도움이 되는 제품을 발라서 효과를 증진시키며, 도자를 사용해 심장방향으로 밀어올리면서 시술한다.

38 가시광선 중 가장 짧은 자색(보라색)광선의 바깥쪽에 존재한다. 피부에 자극적인 화학반응을 일으키는 성질이 있어 살균력이 강하며, 비타민 D의 합성에도 도움이 된다.

39 고주파는 주파수가 100,000Hz 이상의 높은 진동률의 테슬러 전류를 사용하는 원리로 효과는 심부열 발생으로 순환 촉진 및 노폐물 배출 및 직접법 사용 시 박테리아 살균 및 소독 효과가 있다.

40
- 석션 : 진동 흡입의 원리로 유리컵을 이용하여 림프배농을 위한 기기이다.
- 스프레이 : 진동펌프의 원리로 산뜻한 청량감과 피부의 산성도를 위한 기기이다.
- 우드램프 : 피부질환을 진단하려는 목적으로 피부의 결점을 보완하기 위한 기기이다.

41 기능성 화장품은 화장품 중에서 약리학적 효능, 효과가 강조된 전문적인 기능을 갖는 것으로 보건복지부령이 정하는 화장품을 말하며 그 범주는 아래와 같다.
- 피부의 미백에 도움을 주는 제품
- 피부의 주름개선에 도움을 주는 제품
- 피부를 곱게 태워주거나 자외선으로부터 피부를 보호하는 데 도움을 주는 제품

42 아로마 오일은 약용식물 즉 Herb의 꽃, 줄기, 열매, 잎, 뿌리 등에서 추출한 오일을 정밀하게 정제해 낸 100% 천연의 방향성 오일을 말한다. 그 효능으로는 항균, 항염, 진정, 진통작용과 혈액, 림프순환촉진, 원활한 배설, 배농작용 등이 있어 피부미용에 널리 사용되어지며, 그뿐 아니라 상처를 치유하거나 정신적인 치유에도 그 사용이 매우 넓다. 아로마 오일은 피지와 유사한 성분으로 피부 흡수율이 높은 편이며, 사용 시 반드시 베이스오일에 희석해서 사용해야 한다.

43 스크럽은 알갱이를 함유한 물리적인 딥 클렌징으로 매일 사용하거나 무리하게 압을 주면 피부가 민감해질 수 있으므로 주 1~2회 정도로 횟수를 제한하며, 2~3분 정도 부드럽게 러빙한다. 딥 클렌징의 경우 순환촉진이나 각질의 탈락으로 세포주기를 활성화하여 간접적으로 재생에 도움을 주는 단계이다.

44 비누는 세정을 목적으로 사용되어지며, 거품이 풍성하여 오염물이나 불순물들이 쉽게 떨어져 나갈 수 있어야 한다. 화장비누나 미용비누 외에 약용비누 중에 데오드란트 비누는 살균제를 함유하여 살균, 소독에 효과가 있고 소염제를 함유하여 상처, 거칠음에 효과가 있는 것을 메디케이트비누라고 한다.

45 가. 바세린 : 석유계 추출
나. 밍크오일 : 향유고래 추출
다. 플라센타 : 태반추출물
라. 라놀린 : 양모추출

46 클렌징 워터는 화장수타입의 클렌징 제품으로 솜에 적셔서 닦아내어 사용한다. 보통 가벼운 화장의 경우 사용하며, 클렌징과 함께 토너의 기능을 함께 하기도 한다. 시중에 클렌징 티슈의 경우도 클렌징 워터를 티슈에 묻혀놓은 형태라 할 수 있다.

47 화장품의 4대 조건은 아래와 같으며, 질병치료나 진단에 사용할 수 있는 것은 의약품으로 구별한다.

1. 안전성 : 피부에 사용했을 때 자극, 알러지, 독성이 없이 안전해야 한다.
2. 안정성 : 화장품이 안정화되어 있어 변질, 변색, 변위, 미생물 오염 등이 없어야 한다.
3. 사용성 : 피부에 사용했을 때 발림성과 흡수성 등의 사용감이 좋아야 한다.
4. 유효성 : 피부에 적절한 보습, 노화억제, 자외선 차단, 미백, 세정, 색채 효과가 있어야 한다.

48 보툴리누스균은 복어독의 1만 배에 달하는 독성을 가진 균으로서 굉장히 유독한 신경독 물질이다. 혐기성 세균인 이 균은 산소가 없는 곳에서만 잘 증식하는 균으로 통조림, 소시지와 같은 식품이 원인식품이 되어 30% 이상의 치사율을 보이며 구역질, 구토, 언어장애 등의 증상을 나타낸다. 상한식품에서 증식한 세균이 뿜은 독소로 독소형 식중독의 대표균이다.

49 사회보장 : 질병, 장애, 노령, 실업, 사망 등의 사회적 위험으로부터 모든 국민을 보호하고 빈곤을 해소하며, 국민생활의 질을 향상시키기 위하여 제공되는 사회보험, 공공부조, 사회복지 서비스 및 관련 복지제도를 말하는 것이다.

50
- 법정 감염병 제1군, 제2군, 제3군, 제4군 중의 탄저→발견 즉시 신고
- 법정 감염병 제3군, 지정감염병→7일 이내 신고

51 태아가 충분히 성숙하지 않은 상태에서 정상적인 임신기간을 채우지 못하고 임신 26~36주에 미리 분만하는 것을 말한다.

52 석탄산(페놀)은 피부점막에 자극을 주는 단점이 있으므로 가장 부적당하다.

53 공기 중이나 수용액 중에 있는 미생물을 열이나 화학약품을 사용하지 않고 여과기를 통과하게 함으로써 제거하는 방법으로 물리화학적 작용에 변경되기 쉬운 물질, 혈청, 당류 및 시약, 수술실, 청정실 등의 미생물 제거를 목적으로 사용된다.

54 소독의 종류는 크게 물리적 소독법과 화학적 소독법이 있다.
나, 다, 라는 물리적 소독법 중에서도 습열법에 관한 소독법이다.

55 석탄산계수 : 소독약의 살균력을 비교하는 지표이다. 비교적 성상이 안정한 석탄산을 기준으로 석탄산의 희석배수와 비교하려는 소독약의 희석배율을 비교하는 방법이다. 석탄산 계수가 높을수록 살균력이 강하다.

$$\text{석탄산 계수} = \frac{\text{소독약의 희석배수}}{\text{석탄산의 희석배수}}$$

56 공중위생영업이라 함은 다수인을 대상으로 위생관리 서비스를 제공하는 영업으로 숙박업, 목욕장업, 이용법, 미용업, 세탁업 위생관리 용업역을 말한다. 그 중 미용업이라 함은 손님의 얼굴, 머리, 피부 등을 손질하여 손님의 외모를 아름답게 꾸미는 영업이다.

57 시장·군수·구청장은 영업소 폐쇄명령을 받고도 계속하여 영업을 하는 때에는 관계공무원으로 하여금 당해 영업소를 폐쇄하기 위하여 다음과 같은 조치를 하게 할 수 있다.

1. 당해 영업소의 간판 기타 영업표지물을 제거
2. 당해 영업소가 위법한 영업소임을 알리는 게시물 등을 부착
3. 영업을 위하여 필수불가결한 기구 또는 시설물을 사용할 수 없게 하는 봉인

58 **위생교육을 받지 아니한 때 행정처분**
1차–경고, 2차–영업정지 5일, 3차–영업정지 10일, 4차–영업장 폐쇄명령

59 공중위생관리법 제10조의 규정에 의하여 보건복지부장관, 시·도지사 또는 시장·군수·구청장은 법 제5조의 규정을 위반한 공중이용시설의 소유자 등에게 개선명령을 하는 때에는 위생관리기준, 발생된 오염물질의 종류, 오염허용기준을 초과한 정도와 개선기간을 명시하여야 한다.

60 **면허증 재교부 신청이 가능한 경우**
1. 면허증의 기재사항에 변경이 있을 때(성명 및 주민등록번호의 변경에 한한다)
2. 면허증을 잃어버린 때
3. 면허증이 헐어서 못쓰게 된 때

피부미용사필기시험

2010년 4회 정답

1	가	2	가	3	가	4	다	5	가	6	나	7	가	8	라	9	나	10	나
11	라	12	다	13	가	14	다	15	라	16	가	17	라	18	다	19	다	20	라
21	다	22	다	23	나	24	가	25	라	26	다	27	가	28	다	29	다	30	라
31	라	32	가	33	다	34	가	35	라	36	라	37	나	38	라	39	라	40	라
41	라	42	나	43	나	44	나	45	다	46	라	47	가	48	다	49	다	50	다
51	다	52	나	53	가	54	가	55	라	56	나	57	가	58	다	59	나	60	다

1 미용업(피부)는 의료기기나 의약품을 사용하지 아니하는 피부상태분석, 피부관리, 제모, 눈썹손질을 행하는 영업으로 피부미용사의 손과 화장품 및 적용 가능한 피부미용기기를 이용하여 관리하는 것을 말한다.

2 스테로이드는 항염증 작용을 하는 성분이지만 부작용이 심해서 사용을 자제하고 있다.

3 크림타입 클렌징 제품의 특징은 W/O(오일에 물이 분산되어 있는 상태)타입으로 다량의 오일함유로 진한 메이크업 제거에 효과적이며, 물에 잘 용해되지 않고 지성·예민·여드름 피부는 가급적 사용을 금한다.

4 가, 나, 라 : 제품의 성상에 따라 분류
다 : 제품 사용방법

5 가는 피부상담 시 체크사항이다.

7 왁스는 모근을 제거하는 방법이다(모간 : 털줄기/모근 : 털뿌리).

8 콜라겐 벨벳마스크의 주성분은 콜라겐, 히아루론산 등 수용성 성분이다. 오일도포가 선행되면 오일이 막을 형성시켜 수용성 성분의 흡수가 어렵다.

9 **피부미용의 기능**
① 보호적 기능(관리적 기능) : 피부상태를 유지할 수 있도록 도와주는 기능
② 심리적 기능 : 피부관리를 받는 고객에게 정신적·심리적으로 안정감과 만족감을 줄 수 있다.
③ 장식적 기능 : 표면적인 외관을 다듬는 것을 의미하는 것으로서 유행에 따라 변화가 가능하다.

10 매뉴얼테크닉을 통해 혈액순환 촉진과 산소, 영양소를 공급해 피부를 부드럽고 유연하게 만들어 노화를 지연시킬 수 있다. 여드름을 없애주기 위해서는 직접적으로 추출해 주어야 한다.

11 모발관리는 헤어의 영역이다.

12 민감성피부는 저자극성 성분을 사용하는 것이 좋다. 지성피부는 알코올이 함유된 수렴화장수, 건성피부는 보습력을 줄 수 있는 유연화장수를 사용해주는 것이 적합하다.

13 나, 다는 클렌징에 관한 설명이며, 라의 고마쥐는 화학적·물리적 효과로 인해 딥 클렌징의 효과가 있다. 화학적 필링은 A·H·A에 해당된다.

14 표피 수분부족 건성피부는 외적인 자극으로 인해 지질성분으로 자극적으로 자주 제거하고, 보습을 해주지 않으면 표피에 수분이 부족해져 각질이 들뜨고, 피부가 예민해지는 상태를 말한다.

15 허리가 굽지 않은 상태에서 양발은 어깨넓이만큼 벌린 상태에서 균일하게 두며, 손목에 힘을 뺀 상태의 자세를 유지한다.

16 나, 다, 라는 냉습포 효과에 대한 설명이다.

17 지성피부는 모공이 크고, 피지분비가 많이 되는 피부이므로 피부수축효과가 있는 수렴화장수를 사용해 주는 것이 효과적이다.

18 **매뉴얼테크닉의 부적용 대상자**
- 상처가 있을 경우
- 생리 전이나 생리 중인 경우
- 피부질환 시, 피부가 극도로 예민할 경우
- 임신 시 주의를 요하는 경우
- 수술한 지 1년이 안된 경우는 의사와 상의 후 실시
- 종양 및 암의 경우 의사와 상의 후 적용

다의 부종은 매뉴얼테크닉을 통해 혈액순환촉진의 효과가 있다.

19 표피의 투명층은 주로 손바닥과 발바닥에만 존재하는 특징이 있으며, 엘라이딘(elaidin)이라는 반유동물질이 있어 투명하게 보인다. 엘라이딘으로 인해 자외선을 난반사하여 색소침착이 안되며 그 외 완충작용 및 수분침투와 수분증발 억제기능이 있다.

20 진피에는 감각기관의 말단 수용기가 분포되어 있는데 1㎠ 피부면적 기준으로 촉각점 25개, 온각점 1~2개, 냉각점 12개, 통각점 100~200개가 존재한다.

21 기저층은 표피의 가장 아래층으로 살아있는 세포 케라티노사이트(각질형성세포)와 멜라노사이트(색소형성세포)가 4 : 1~10 : 1의 비율로 존재하며, 세포분열이 일어나는 층이다.

22 진피는 눈에 보이지 않지만 피부의 대부분을 차지하고 있는 진짜 피부이다. 진피에는 피부의 수분과 탄력을 관장하는 콜라겐 섬유와 엘라스틴 섬유가 존재하며, 그 사이를 무코다당류가 메우고 있다.

23 비타민C는 티로시나아제의 활성을 억제시켜주는 대표적인 항산화제로 기미가 생기는 원인과는 거리가 멀다.

24 원발진 : 건강한 피부에 처음으로 나타나는 병적변화(반점, 반, 구진, 판, 결절, 종양, 팽진, 두드러기, 소수포, 대수포, 농포, 낭포)가 원발진에 속한다.

25 펠라그라병은 나이아신이나 그 전구체인 트립토판이 부족하여 여러 기관에 병변을 나타내는 영양장애에 의한 질환이다. 피부염, 설사, 치매, 심한 경우 사망까지 초래하는 특징이 있으며, 중국, 아프리카, 인도 등 옥수수를 주식으로 하는 후진국에서 주로 나타나는 질환이다.

26 각질형성세포(케라티노사이트) : 표피의 기저층에 존재하고 있으며, 각질(케라틴)을 만들어 내는 세포

27 대상포진은 신경절에 잠복해 있던 수두바이러스가 재활성화되면서 발생하는 질환이다. 주로 면역력이 떨어진 틈을 타 신경절을 타고 감염을 일으키며, 굉장한 통증이 동반된다.

28 소화기 계통은 입–인두–식도–위–소장–대장–항문이 대표적인 기관이며, 기도는 호흡기 계통의 일부 기관이다.

29 중추신경계는 뇌와 척수로 나누어지며, 뇌는 다시 대뇌, 중뇌, 소뇌, 간뇌, 연수로 나누어진다. 말초신경에는 체성신경과 자율신경이 있는데 체성신경은 뇌신경과 척수신경이, 자율신경에는 교감신경과 부교감신경이 있다.

30 뇌는 두개골에 싸여 있으며 척수는 척추에 싸여 보호되고 있다. 흉골은 흉곽을 이루고 있는 뼈이다.

31 가소성 : 평활근(내장 근육)의 길이가 늘어난 후에도 같은 장력을 유지하는 성질. 골격근의 근수축 반응에는 연축, 강축, 긴장, 강직 등이 있다.

32
- 피브린 : 혈장속의 피브리노겐에 효소 트롬빈이 작용하여 생기는 불용성 난백실이며, 섬유상을 이루고 있다.
- 프로트롬빈 : 혈액응고에 관여하는 효소로 트롬보겐이라고도 하는데 간에서 비타민K의 작용으로 생성
- 칼슘이온 : 혈장속에 항상 존재하며, 상처나 출혈 시 혈액응고 촉진작용을 한다.

33 세포막은 세포와 외부의 경계를 형성하는 막으로 세포의 형태를 유지하고 선택적 투과성 막이 있어 세포 안팎의 물질 출입을 조절하며, 확산작용 등을 통하여 물질이동을 한다. 단백질 합성이 이루어지는 장소는 세포체 내의 리보솜이다.

34 맥관은 혈관과 림프관을 이르는 말이며, 신우는 신장의 가장 안쪽에 있고 오줌을 모으는 작용을 한다. 요도는 신장에서 만들어진 오줌을 방광으로 이동하는 신장 외부에서 연결된 관이다.

35
- 진공흡입기 : 기계모터로 유리컵의 압력을 조절하여 피부조직을 흡입하여 사용하는 기기
- 비적용증 : 예민성 피부, 모세혈관확장증, 피부염, 정맥류, 멍든 피부, 선번, 알레르기성, 지나치게 탄력이 저하된 피부

36 퓨즈 : 전류가 전선에 과도하게 흐르는 것을 방지하는 장치

37 이온토포레이시스 : 매우 낮은 전압의 직류를 사용하여 피부 속으로 침투하기 어려운 수용액을 이온화시켜 피부조직 안으로 침투시키는 기기

38 사용방법 : 피부표면에 솔이 눌리거나 꺾이지 않게 피부에 직각으로 닿도록 한다. 가볍게 누르듯 원을 그리며 얼굴굴곡에 따라 이동하며, 이때 관리사의 손목을 돌려 원을 그리지 않는다.

39 **감응전류의 피부관리 효과**
- 근육상태를 개선한다.
- 세포의 작용을 활발하게 하여 노폐물을 제거한다.
- 혈액순환을 촉진한다.
- 내분비선 계통의 활동을 증가한다.
- 자극과 활력을 준다.
- 흡수작용 촉진·부종완화

40 적외선 램프 : 온열작용으로 혈액순환을 증가시키고 노폐물과 독소의 배출을 원활하게 하며, 영양분을 피부내에 깊숙이 침투시키는 데 사용되는 기기

41 파운데이션의 기능은 피부색을 균일하고 아름답게 하고 얼굴의 윤곽 조절과 기미, 주근깨, 흉터 등의 결점을 커버해주며 외부 유해환경으로부터 피부를 보호해주고 심리적 만족감을 주며, 건조와 자외선으로부터 피부를 보호해준다. 피지억제와 화장을 지속시켜 주는 기능은 파우더의 기능이다.

42 **화장품의 4대 요건**

① 안전성 : 피부에 대한 자극, 알레르기, 독성이 없을 것
② 안정성 : 보관에 따른 변질, 변색, 변취, 미생물의 오염이 없을 것
③ 사용성 : 피부에 사용했을 때 손놀림이 쉽고 피부에 부드럽게 잘 발릴 것
④ 유효성 : 피부에 보습, 노화억제, 자외선 차단, 미백, 여드름 등의 효과 부여

43 데오드란트 파우더는 체취방지제이다.

44
- 전기전도법 : 적정액의 전기전도도를 연속적으로 측정하면서 표준용액을 적하하여 종점보다 상당히 앞까지 전도도 측정을 한 결과에서 종점을 구하는 방법
- 질량분석법 : 유기, 무기 화합물의 분자량, 분사 구조에 대한 정성 및 정량 정보를 제공하는 분석기법

위의 제시문에서 '~물에 첨가한 결과 잘 섞여~'라는 문장으로 보아 희석시켜 유화의 정도를 보고 판별한 것이라는 것을 알 수 있다.

45 콜라겐은 동물의 어린조직에서 추출하고 피부에 보습력 부여로 주름을 예방한다.

46 바디 샴푸는 풍부한 거품 생성력과 부드러운 거품과 높은 지속성, 적당한 세정력, 피부에 대한 안정성으로 자극이 없어야 함으로 세정제의 각질층 내 침투로 지질을 용출한다는 문항은 옳지 않다.

47 탑 노트(Top note)는 알코올이 날아간 후의 향기이고, 미들 노트(Middle note)는 피부에 뿌린 후 5분, 10분 정도 경과 후 안정된 향기로 그 향이 중심이 되는 향기다. 베이스 노트(Base note)는 뿌린 후 2~3시간 경과 후의 향기로 체취와 혼합되어 그 사람의 고유향기가 되어 그 사람의 개성을 잘 표현해 주는 향기다.

48 보건행정의 정의
공중보건의 목적을 달성하기 위하여 업무과정의 과학적 관리방식에 의한 능률을 추구하고 보건사업의 법률적 관계조정 및 국민의 생명연장, 질병예방 등을 위한 행정활동과정이다.

49
- 기후의 3요소 : 기온, 기습, 기류
- 쾌적기온=18±2℃
- 쾌적습도=기온이 18℃ 전·후일 때 40~70%

50 트리코나는 클라다미아균의 일종인 균의 감염에 의하여 생기는데 개발도상국과 같은 후진국에서 발병빈도가 높다. 체계적으로 주요한 실명의 원인 중 하나이며, 병원체는 환자의 눈꼽으로 감염이 된다.

51 광견병의 다른 이름(=공수병) : 광견병을 전파시키는 가장 주요한 원인이 되는 동물은 집에서 기르는 개이며, 쥐, 토끼, 다람쥐 등과 같은 설치류는 광견병 바이러스에 감염되지 않는다.

52 할로겐계 소독약은 염소 또는 요오드를 함유하는 소독약으로 주로 세포막 및 원형질의 단백질은 산화시킴에 의해 소독력을 발휘한다. 이들 제제는 저렴할 뿐 아니라 신속한 살균효과를 나타내며, 다양한 병원성 미생물에 대한 사멸효과를 가지고 있어 주요한 소독약으로 간주되고 있다.

53 백신의 종류 : 생독백신, 사독백신
생독백신과 사독백신의 차이는 백신의 추출방법으로 생독백신은 생균(살아있는 세균)이나, 바이러스를 증식시켜 백신으로 만든 반면, 사독백신은 그 바이러스나 세균을 화학물질로 죽인 후 그 나머지 세포를 가지고 만들어 낸, 사실상 항원을 추출했다는 의미로 볼 수 있다. 생균백신 사용질병으로는 홍역, 결핵, 폴리오, 두창 등이 있다.

54 창상소독약의 조건 : 인체에 독성이 적을 것, 사용할 때 자극이 적을 것, 상처회복을 저해하지 않을 것 등으로 머큐로액, 아크리놀, 희옥도정기 등이 적당하다.

55 역성비누(양성비누)
- 양이온계면활성제를 이용한 것으로 물에 잘 녹고 거품이 잘 일어나지만, 세정력은 거의 없다. 자극이 적어 손, 기구 등의 소독에 적합하다.
- 결핵균에는 효과가 없으므로 객담소독 등에는 적당하지 않다.
- 무색, 무취, 무미, 무독성, 무자극성이다.

56 공중위생영업소의 위생서비스수준을 평가하는 자는 시장·군수·구청장이다. 공중위생감시원은 공중이용시설의 위생관리 상태를 확인·검사한다.

57
- 1차 위반 : 경고 또는 개선명령
- 2차 위반 : 영업정지 15일
- 3차 위반 : 영업정지 1월
- 4차 위반 : 영업장 폐쇄명령

58 300만원 이하의 벌금
① 위생서비스 기준 또는 오염허용기준을 지키지 아니한 자
② 이·미용사의 면허를 받지 않은 자가 이·미용의 업무를 행한 자

59 6월 이하의 징역 또는 500만원 이하의 벌금
① 변경신고를 아니한 자
② 공중위생영업자의 지위를 승계한 자로 규정에 의한 신고를 아니한 자
③ 건전한 영업질서를 위하여 공중위생영업자가 준수하여야 할 사항을 준수하지 아니한 자

60 이·미용업소 내에 반드시 게시해야 하는 세 가지는 이·미용업 신고증, 개설자의 면허증 원본, 미용요금표이다.

2010년 5회 정답

1	라	2	라	3	가	4	가	5	나	6	가	7	가	8	나	9	라	10	라
11	나	12	라	13	라	14	가	15	가	16	라	17	나	18	다	19	가	20	다
21	나	22	나	23	가	24	다	25	다	26	다	27	나	28	가	29	라	30	가
31	가	32	나	33	가	34	라	35	나	36	가	37	라	38	라	39	가	40	나
41	나	42	가	43	라	44	나	45	나	46	가	47	다	48	다	49	가	50	라
51	다	52	라	53	가	54	가	55	라	56	라	57	라	58	가	59	다	60	가

1 라. 영양크림 단계의 효과이다.

2 딥 클렌징 중 효소(엔자임) 사용 시에만 반드시 스티머를 사용한다.

3 털이 난 방향으로 왁스를 바르고 털이 난 반대 방향으로 제거한다.

4 클레이팩은 지성 피부에 적용하는 것이 적당하다.

5 모공이 넓은 지성 피부에 알코올이 함유된 토너가 적당하다.

6 매뉴얼테크닉의 효과는 혈액순환, 신진대사의 활성이다.

7 가. 쓸어주기의 효과이다.

8 혈액순환이 잘되면 신진대사가 기능이 빨라진다. 혈액의 증가로 혈압이 높아진다.

9 라. 냉습포의 효과이다.

10 모세혈관 늘어짐에 따라 실핏선 피부의 현상이 나타나며, 나머지 가, 나, 다는 실핏선 피부에 대한 내용이다.

11 피부관리실에서는 하드왁스와 스크립왁스를 통해 제모(왁싱)을 한다. 다, 라는 기계를 통한 영구적 제모방법이며, 면도는 자가로 사용하는 방법이다.

12 입술 외곽으로 닦아낼 경우, 립스틱이 피부표면으로 묻을 수 있으므로 왼쪽입술 끝에서~중앙방향, 오른쪽 입술 끝에서~중앙방향으로 닦아낸다.

13 1960년 이후 국내 화장품 개발이 활성화되기 시작했으며, 1981년 YWCA에서 피부미용이 도입되어 정식 피부미용수업이 진행되고, 그 후 80년대 중반 피부미용전문제품이 수입되고 전문살롱이 오픈되어 발전되었다.

14 더마스코프는 모니터 측정기로서 피부분석 및 상담 시 사용되는 기계이며, 프리마톨(브러시머신)은 클렌징제를 도포한 후 브러시의 회전으로 클렌징과 마사지효과가 있는 것이며, 엑스폴리에션은 딥 클렌징 시 사용하는 제품을 말하며, 디스인크러스테이션은 음극봉 아래에서 생성되는 알칼리가 죽은 각질을 제거하고, 피부표면이 피지와 모공 깊은 부위의 불순물을 제거하는 것이다.

15 클렌징의 목적은 피부표면에 있는 노폐물(피지, 땀)과 화장품의 잔여물을 제거하는 것이다.

16 라. 근육경직에 대한 설명이다.

17 건성피부에 대한 설명이다.

18 치유는 피부미용의 영역이 아니며 팩 사용 시 수분과 영양공급, 각질제거, 청정작용의 효과가 있다.

19 피지선은 손바닥과 발바닥을 제외한 전신에 분포되어 있으며 얼굴에 가장 많이 분포되어 있다.

20 원발진은 피부에 처음으로 나타나는 병적변화를 말하며 반점, 반, 구진, 결절, 종양, 팽진, 소수포 및 대수포, 농포, 낭포를 포함한다. 인설,

가피, 찰상, 미란, 궤양, 반흔, 균열, 켈로이드, 위축, 태선화 등은 속발진에 속하며 원발진이 진행하여 생기거나 더 심해진 경우를 말한다.

21 손톱, 발톱은 생장주기 없이 계속 성장하므로 교체과정을 거치지 않는다. 성장속도는 개인차이가 있으며 손끝과 발끝을 보호하며 물건을 집을 수 있게 하는 역할을 가진다. 피부나 모발과 같이 케라틴으로 이루어져 있다.

22 진피는 표피와 피하지방층 사이에 위치하며 피부의 대부분을 차지한다. 교원섬유와 탄력섬유로 구성되어 있으며 콜라겐을 교원섬유, 엘라스틴을 탄력섬유라 한다.

23 흉터는 진피층까지 손상을 입어 치유가 된 후에도 남아있는 그 흔적을 말한다. 진피층의 콜라겐이 과다하게 증식하여 불규칙하게 배열되어 피부표면이 고르지 못하며 진피층의 손상으로 그 부위는 정상적인 세포분열이 되지 않으며 피지선과 한선도 손상을 입었다고 볼 수 있다.

24 각질층은 표피의 최상층으로 죽은 사세포들이 각화과정에 의해 떨어지는 현상이 이루어진다.

25 티눈은 각질이 두꺼워지는 현상으로 압력과 마찰로 인해 생기며 통증을 유발하고 중심에 핵을 가지고 있다. 주근깨와 기미, 리일 흑피증은 색소이상증세이다.

26 백선은 일명 무좀이라 불리우며 그 부위에 따라 두부백선(머리), 조갑백선(손, 발톱), 체부백선(몸통), 수부백선(손바닥) 등 명칭이 다르다. 백선은 피부사상균에 의한 피부의 표재성 감염의 총칭이며, 머리 백선은 두피의 모낭과 그 주위 피부에 피부사상균이 감염되어 발생하는 백선증을 말한다.

27 입모근은 모근에 붙어있는 근육으로 소름을 돋게 하는 근육을 말한다. 추위나 놀람 등의 상태일 경우 털을 세우기 때문에 털세움근이라 불리우기도 한다. 이 때 피지선을 압박해 분비를 촉진시키기도 하고 주로 체온을 조절하는 기능을 가진다.

28 성장호르몬은 뇌하수체전엽에서 분비되며, 신체성장 촉진, 단백질 합성을 도와준다. 성장호르몬의 기능항진일 경우에는 거인증, 말단비대증이 생길 수 있으며, 기능저하로는 소인증에 걸릴 수 있다.

29 심장은 흉강 중앙에 위치하며 성인의 경우 무게가 약 250~350g 정도이고, 자신의 주먹만 한 크기의 근육기관으로 4개의 공간으로 나누어져 있다. 위에 위치한 두 개의 공간을 심방, 아래에 위치한 두 개의 공간을 심실이라 하며 좌우로 구분되어 있다. 심실은 주로 동맥을 통해서 영양분과 산소를 다른 장기로 보내주는 역할을 하기 때문에 심방보다는 두꺼운 근육층으로 되어 있다.

30 췌장(이자)기능은 크게 두 가지로 외분비와 내분비 기능을 하는데 외분비라 함은 소화효소들을 말하는데 소화효소로는 단백질을 분해할 수 있는 트립신, 지방을 분해할 수 있는 리파아제, 탄수화물을 소화할 수 있는 아밀라아제, 말타아제 같은 효소들이 3대 영양소의 소화를 돕는다. 내분비로는 랑게르한스섬의 알파 세포에 분비되는 글루카곤과 베타세포에 분비되는 호르몬인 인슐린이 있다. 인슐린은 식사 후 혈당향이 많아졌을 때 혈당량을 조절하는 기능을 하고 글루카곤은 우리 몸에 혈당량이 적을 때 혈당량을 높여 혈당을 조절하는 기능을 한다.

31 인체는 출생 시 약 270여개의 뼈를 갖고 있으나, 청년기를 지나면서 여러 뼈들이 서로 유합하여 개수가 줄어 성인이 되면 총 206개의 뼈가 된다.

32 심장근은 의지에 의해 통제될 수 없는 불수의근으로 자율신경의 지배를 받는다. 가로무늬근(횡문근)으로 밝고 어두운 띠가 교대로 배열된 모양이다.

33 미토콘드리아는 우리 몸에서 섭취된 음식물 중의 영양물질을 산화시켜(세포 내 호흡) 인체에 필요한 에너지 형태인 ATP를 생성한다.

34 사람의 신경계는 크게 뇌와 척수로 구성되는 중추신경계와 우리 몸 전체에 분포하는 말초신경계로 구성되어 있다. 척수는 뇌와 말초신경 사이에 흥분을 전달하는 통로이다. 감각신경은 척수의 등쪽에 있는 통로(후근)을 통해 연결되고, 운동신경은 배 쪽의 통로(전근)를 통해 척수와 연결되어 있다. 또한 척수는 척수 반사(배변, 배뇨, 무릎반사)의 중추이다.

35 이온토프레시스의 주효과는 이온화된 물질(유효성분)을 전극봉을 이용하여 피부 깊숙이 침투시키는 영양관리 방법으로 이온영동법, 이온도입법이라 한다.

가. 스티머(오존)/고주파 직접법 효과
다. 초음파기기/중주파기기/진공흡입기/엔더몰로지 효과
라. 고주파 간접법/초음파기기 효과

36 고주파 직접법 사용 시 스파킹효과를 얻을 수 있으며 고주파 직접법 사용방법은 클렌징 후 무알코올 토너를 바른 후 마른 거즈를 얹고 얼굴형태에 맞는 유리봉을 선택하여 원을 그리며 미끄러지듯 사용하며 염증이 있거나 여드름 압출 후 피부표면에는 피부와 전극봉 사이를 2~3mm정도 살짝 떼어 사용한다.

37 직류는 전류의 흐르는 방향이 시간이 흐름에 따라 변하지 않는 전류를 말한다. 변압기는 교류회로에서 전압(승압, 강압)을 바꾸는 데 사용된다. 교류의 종류는 1. 정현파 전류, 2. 감응전류, 3. 격동전류로 나눠진다.

38 정상피부–청백색/ 건성피부–맑은 보라색/민감성피부–진보라색/피지, 면포, 지성피부–오렌지색/두꺼운 각질 부위–흰색/색소 침착부위–암갈색

39 고주파기기는 주파수가 초당 10,000Hz 이상의 높은 진동률의 테슬러 전류로 파동주기가 짧아 근육을 수축하지는 못하고 피하조직에 열을 발생시켜 피부의 활성화를 제공하는 요법이다.

40 모세혈관이 확장된 피부에 왁스나 전기마스크를 사용할 시 더 큰 자극이 되어 모세혈관이 확장, 파열될 가능성이 있기 때문에 되도록 사용하지 않는다.

41 화장품의 제형에는 가용화, 유화, 분산이 있고 나.의 설명은 유화의 특성 중 O/W의 특성이다.

42 **함량에 따른 분류**

- 퍼퓸–향 농도 15~30%(6~7시간 지속)
- 오데퍼퓸–향 농도 9~12%(3~5시간 지속)
- 오데토일렛–향 농도 6~8%(1~2시간 지속)
- 오데코롱–향 농도 3~5%(1~2시간 지속)
- 샤워코롱–향 농도 1~3%(1시간 지속)

43

분류	종류
유화형	O/W형 : 리퀴드파운데이션 W/O : 크림파운데이션
분산형	컨실러, 스틱파운데이션
파우더형	파우더파운데이션, 트윈케이크

44 보습제는 화장품에 사용되는 보습제는 피부를 촉촉하게 하는 작용을 한다.

① 게다가 알코올은 물 분자와 잘 결합하는 성질이 있어 피부에 수분을 공급하고 수분 증발을 억제하는 기능을 한다.
② 천연보습인자는 각질층에 존재하는 수용성 성분들을 말하며 피부의 수분증발을 억제하고 건조함을 막아주는 기능을 한다.
③ 고분자 보습제는 수분과 결합하려는 능력과 수분보유능력이 우수하다.

45 미백에 도움을 주는 제품의 공통점은 티로시나아제 형성을 억제하는 효과가 있고 종류에는 비타민C, 알부틴, 코직산, 닥나무 추출물, 뽕나무 추출물, 감초 추출물이 있으며 그 중 월귤나무 잎에서 추출한 것은 알부틴이다.

46 **좋은 화장품의 4대 조건**
① 안전성 : 피부에 사용했을 때 자극, 알러지, 독성 등이 없이 안전해야 한다.
② 안정성 : 화장품이 안정화되어 있어 변질, 변색, 변위, 미생물 오염 등이 없어야 한다.
③ 사용성 : 피부에 사용했을 때 발림성과 흡수성 등의 사용감이 좋아야 한다.
④ 유효성 : 피부에 적절한 보습, 노화억제, 자외선 차단, 미백, 색채, 세정 작용 등의 효과·효능이 좋아야 한다.

47 바디관리 화장품은 세정 및 목욕제, 트리트먼트제, 일소 및 일소 방지제, 액취방지제가 있다.

48 규폐증은 광산등지에서 많이 발생하는 직업병으로 유해한 분진을 장기간 흡입하는 일을 하는 채광업, 채석업, 연마업 등을 들 수 있다.

49 접촉감염은 환자·보균자 또는 병원체가 부착한 의복 물품 등에 직접 피부가 닿거나 기침·재채기 등을 통하여 감염되는 감염병으로 감염지수가 가장 높은 질병은 대부분의 사람이 한번쯤 걸릴 수 있는 홍역이다.

50 인수공통감염병은 사람과 가축이 양쪽에 이환되는 감염병을 말하며, 특히 동물로부터 사람에게 감염되는 병을 말하며 공수병(광견병), 탄저, 페스트 등이 있다.

51 파리가 전파하는 감염병으로는 장티푸스, 파라티푸스, 살모넬라 등이 있으며 사상충은 개, 고양이, 여우, 늑대, 사람에 기생하고 중간숙주는 모기가 흡혈 시 전파된다.

52 크레졸 소독은 크레졸 비누액 3%와 물 97%로 혼합하여 소독하며, 손소독에는 1~2%, 기구를 소독할 때는 3%의 용약으로 사용한다.

53 멸균 : 모든 미생물(병원성, 비병원성, 포자 등)을 완전하게 제거하여 무균상태로 만듦

54 소각법 : 재생가치가 없는 것을 불에 태워 멸균시키는 방법(병원균에 오염된 가운, 거즈, 수건, 휴지 등을 처리하는 방법 등에 쓰임)

55
- 자외선 이로운 점 : 살균소독, 비타민D의 합성, 림프혈액순환촉진 등
- 자외선 해로운 점 : 피부노화촉진, 색소침착 유발, 홍반 및 피부암 유발가능성

56 영업소의 명칭·상호, 영업소의 소재지, 신고한 영업장 3분의 1 이상의 증감, 대표자의 성명을 변경신고하려는 자는 영업신고증, 변경사항을 증명하는 서류를 첨부하여 시장·군수·구청장에게 제출하여 변경신고를 한다.

57 가, 나, 다의 벌칙은 1년 이하의 징역 또는 1천만원 이하의 벌금이며, 라는 300만원 이하의 벌금으로 벌칙기준이 다르다.

58 1차–경고, 2차–영업정지 5일, 3차–영업정지 10일, 4차–영업장 폐쇄명령

59 교육과학기술부장관이 인정하는 고등기술학교에서 '1년 이상' 이용 또는 미용에 관한 소정의 과정을 이수한 자

60 면허증을 잃어버린 후 재교부 받은 자가 그 잃어버린 면허증을 찾은 때에는 '지체없이' 재교부 받은 시장·군수·구청장에게 이를 반납하여야 한다.

피부미용사필기시험

2011년 1회 정답

1	나	2	라	3	다	4	다	5	라	6	라	7	다	8	가	9	라	10	가
11	라	12	라	13	다	14	라	15	라	16	다	17	나	18	나	19	다	20	라
21	나	22	나	23	나	24	다	25	다	26	다	27	다	28	다	29	다	30	나
31	가	32	나	33	다	34	나	35	나	36	다	37	나	38	다	39	가	40	다
41	나	42	나	43	다	44	가	45	가	46	다	47	라	48	라	49	라	50	나
51	가	52	나	53	가	54	다	55	라	56	다	57	나	58	라	59	다	60	다

1 딥 클렌징은 피부유형에 따라 주 1~2회 정도 실시하는 것이 좋다.

2 우드램프를 사용한 피부분석 시 색소침착부위에서는 암갈색이 나타난다.

3 매뉴얼테크닉 시술 시 고객에게 맞는 압력으로 너무 강하지 않게 실시하며, 속도의 경우 이완을 위해서 빠르지 않게 실시한다.

4 민감성피부의 화장품은 알코올 함량이 낮고, 진정성분이 함유되어 있는 것이 좋으며 자극이 될 수 있는 성분은 배제하는 것이 좋다.

5 마무리 단계에는 마무리 화장품 도포, 스트레칭, 관리 후 고객상담과 배웅, 마무리 주변정리 등이 포함된다.

6 딥 클렌징을 통하여 불필요한 각질, 피지를 정리할 수 있으며 면포를 연화시킬 수 있다.

수용성비타민

종류	주요기능	결핍증
비타민B1(티아민)	항신경성, 탄수화물대사보조	각기병, 식욕부진, 당뇨병, 신경쇠약, 신경염, 소화장애
비타민B2(리보플라빈)	항피부염인자, 성장촉진인자	구각구순염, 결막염, 설염, 눈의 충혈, 지루성 피부염, 빈혈
비타민B2(니아신)	당질, 지질, 단백질, 산화과 정시 촉매역할	펠라그라, 구내염, 피부염, 설사, 불면증, 신경쇠약
비타민B2(판테놀)	당실, 지질대사작용에 조효소작용, 호르몬, 콜레스테롤, 헤모글로빈 합성에 보조효소	불안정, 피로, 무감각, 불면증, 구토, 마비, 근육경련
비타민B2(피라독신)	항피부염, 체내 대사 작용 촉진	당뇨병, 빈혈, 지루성피부염, 경련, 우울중, 설염
엽산	동물의 세포분열에 관여, DNA를 합성	빈혈, 설염, 설사, 성장장애, 정신혼란, 신경장애
비타민B2(코발라민)	엽산대사와 밀접한 관계, 항빈혈	악성빈혈, 엽산의 결핍증과 동일, 집중력과 기억력 상실, 치매, 마비
비타민B2(아스코르빈산)	항산화기능, 면역기능, 모세혈관 강화	과혈병, 골절, 설사증세, 상처치유 지연
비타민B2(비오틴)	자방산, 당질대사, 장벽보호	피부발진, 원형탈모증, 중추신경계 이상

7 영구제모의 반영구제모의 방법에는 전기응고술, 전기분해술, 레이저 관리 등이 있다.

8 천연팩은 보관기간이 짧고, 자체 독소로 인해 트러블을 유발할 수 있으므로 만든 즉시 사용하는 것이 좋다.

9 클렌징 제품은 피부의 생리적인 기능을 정상적으로 도와주며 피부 산성막을 손상시키지 않는 제품이어야 한다.

19 적외선은 태양광선의 50% 이상을 차지하며, 770~2200nm의 장파장이다. 발열작용이 있어 열선이라 하며, 피부 깊숙이 침투하여 혈액순환을 촉진하고 신진대사를 원활하게 하는 효과가 있다. 근육이완 효과, 피부 깊이 영양분을 침투시킨다.

20 자외선은 냉선(무열선)이며, 생화학적 변화를 일으키는 화학선이고 자외선은 4~8월에 강해지는데 특히, 6월에 가장 강하다. 자외선을 신진대사를 촉진시키며, 살균소독 기능이 있고 노폐물의 제거를 촉진시킨다. 자외선에 평소보다 많이 노출되었을 경우 과색소 침착의 원인이 된다.

21 표피의 기저층에는 케라티노사이트(각질형성세포)와 멜라노사이트(색소형성세) 4 : 1~10 : 1의 비율로 구성되어 있다.

22 피부세포가 기저층에서 태어나 성장을 계속하면서 피부 위로 올라오면서 유극층, 과립층을 거쳐 각질층까지 축적되어 탈락되는 현상을 말하며 그 주기는 28±3일이다.

23 한선은 소한선과(에크린선)과 대한선(아포크린선)으로 구성되어 있는데 모공과 연결되어 분비되며 유백색으로 특정부위에 분포되어 있고 사춘기부터 분비량이 증가한다. 표피에 배출된 후 세균에 의해 분해되어 특유의 액취증을 형성한다.

24 피지선은 진피의 망상층에 위치하고 일 1~2g 정도 분비되며, 모낭에 연결되어 입구를 같이 한다. 손바닥과 발바닥을 제외한 전신에 분포되었으며, 이중 얼굴부분에 가장 많이 분포되어 있다.

25 수용성비타민(하단 표 참조)
지용성비타민(하단 표 참조)

26 한선은 신장의 기능을 보조하고 체온을 조절하며, 피부의 약산성도를 유지하는 기능을 한다. 수분 99% Na, Cl, K, 요소, 단백질, 지질, 아미노산 등의 구성성분이 있다. 보통 하루에 700~900cc의 땀을 분비한다. 한선에 소한선(에크린선)과 대한선(아포크린선)이 있으며 입술과 생식기를 제외한 전신에는 소한선이 분포되어 있고, 특정부위(애과, 유륜, 배꼽, 생식기, 항문 등)에는 대한선이 분포되어 있다.

지용성비타민

종류	주요기능	결핍증
비타민A(레티노이드)	시각관련 작용, 세포분화, 항산화 및 항암작용, 정자생성, 면역기능, 야맹증, 약시를 예방치료	야맹증, 안구 건조증, 반점
비타민D(칼시페롤)	혈중 칼슘 농도의 조절로 세포의 증식과 분화 조절, 구루병, 충치, 골절예방	구루병, 골연하 및 골다공증, 소아의 발육부진
비타민E(토코페놀)	항산화 기능 불포화지방산과 비타민A의 산화를 방지, 세포의 화상이나 상처 치유를 돕고, 유산과 불임증, 갱년기 장애의 예방과 치료 효과	용혈성 빈혈, 신경계 장애, 노화촉진, 조산, 유산, 불임
비타민K	혈액응고에 관여, 간 기능을 돕고, 뼈의 형성에 관여, 모세혈관을 튼튼하게 해 줌	출혈

27 피부의 주요기능 : 보호작용, 체온조절작용, 분비·배설작용, 감각·지각작용, 흡수작용, 비타민 D의 합성작용, 호흡작용

28 혈액의 유형성분인 혈구의 하나로 혈액의 응고나 지혈작용에 관여한다.

29 눈썹 주름근이라고도 불리는 근육이며, 전두근과 안륜근 밑에 위치하며 눈썹 사이에 수직으로 주름지게 하는 근육이다.

30 부신피질은 3개의 층으로 이루어져 있는데, 가장 바깥층 사구대에서는 염류피질 호르몬 알도스테론을, 가운데 층속상대에서는 당류 피질 호르몬 코티솔을 분비하며, 가장 안쪽층 망상대에서는 성호르몬인 안드로겐을 분비한다.

31 말초신경계에서 체성신경계가 하는 일로 대뇌의 자극을 받아 우리가 의식할 수 있는 자극과 반응에 관여하는 신경계로 감각기가 수용한 자극을 중추신경으로 보내고 중추신경의 명령을 근육 등의 반응으로 보내는 역할을 하는데 뇌신경 12쌍, 척수신경 32쌍이 존재한다.

32 간의 주요기능으로는 양분의 전환과, 저장, 혈당량 조절, 담즙 생성 및 분비, 해독작용, 요소합성, 체온조절, 혈장단백질 합성 등 간의 기능은 500여 가지가 넘는다고 한다.

33 뇌를 둘러싸고 있는 뼈 8개(전두골, 두정골, 측두골, 후두골, 접형골, 사골)와 얼굴 머리뼈가 14개(관골, 상악골, 하악골, 비골, 서골, 하비갑개골, 누골, 구개골)를 합하여 두개골은 22개가 존재한다.

34 가장 일반적인 이동방법으로, 고농도에서 저농도로 물질분자의 이동을 말한다.

41 핸드케어 제품 중에 물을 사용하지 않고 직접 바르는 것으로 피부청결 및 소독효과를 위해 사용하는 제품을 핸드새니타이저라고 한다. 알코올이 주성분으로 물과 비누사용 없이 살균, 소독의 기능을 함유하고 있다.

42 클렌징크림은 다량의 오일을 함유한 클렌징 제품으로 메이크업이 진한 사람에게는 효과적이지만 오일기 제거를 위해 이중세안을 해야 한다. 클렌징 로션(밀크)은 오일이 함유되어 있지만 식물성 친수성 오일 함유로 물에 잘 씻기며, 클렌징크림보다 유성성분 함량이 적다.

43 미백에 도움을 주는 고시성분은 비타민C(비타민C 유도체 포함), 알부틴, 코직산, 닥나무추출물, 뽕나무추출물, 감초가 있습니다. 레티놀(비타민A)는 주름개선 고시원료이다.

44 호호바오일은 식물성 오일로 인체의 피지와 지방산조성이 유사하여 피부친화적인 오일이다. 라놀린, 미네랄오일, 이소프로필 팔미테이트는 여드름 발생 가능성이 있는 성분으로 이러한 성분을 코메도제닉성분이라고 한다.

45 에센셜오일을 혼합하는 데에 베이스로 사용되는 식물성오일을 캐리어오일이라고 하며 에센셜오일과는 다르게 휘바성이 없으며 피부흡수율이 좋은 오일을 사용한다. 미네랄오일은 광물성오일이며 피부흡수율이 좋지 않아 캐리어 오일로 사용하지 않는다.

46 방부제는 화장품의 변질을 방지하기 위해 사용하는 성분으로 에탄올, 벤조산, 파라벤류, 이미다조리디닐우레아 등이 있다. 그 중에 주요 방부제로 많이 사용되는 성분이 파라벤이며 파라옥시안식향산이라고 부르며, 그 종류로는 메틸파라벤, 에칠파라벤, 프로필파라벤, 부틸파라벤 등이 있다.

47 주름생성은 노화의 징후 중에 한 형태이며 탄력이 저하되고 건조하며 예민화를 동반하기도 한다. 신진대사가 저하되고 세포의 수가 감소하며 보호능력도 떨어지며 색소침착이나 혈관확장 등의 증상이 나타나기도 한다. 섬유아세포는 교원섬유(콜라겐)의 형성에 관여하는 세포로 섬유아세포를 합성, 형성해야 주름을 개선하는데 효과가 있다.

52 미생물을 소독하여 감염을 없애기 위해서는 온도, 산소, 수분, 수소이온농도, 삼투압, 영양원 중 하나만 깨뜨려도 소독의 결과를 볼 수 있다.

53 석탄산은 세균의 단백질을 응고시키며 세포의 용해작용을 시켜 살균작용을 하는 효과가 있으며 가격이 저렴하고 사용범위가 넓은 장점이 있다.

54 압력을 이용한 증기 멸균기로 아포를 포함한 모든 미생물을 멸균시키는 가장 효과적인 방법이다.

55 발진티푸스는 이를 매개로 하여 감염되는 발진성 열성질환이다.

56 미용업소 내에 반드시 게시해야 하는 3가지
미용업 신고증, 면허증 원본, 미용요금표

57 미용사 면허 조건
- 전문대학 또는 이와 동등 이상의 학력이 있다고 교육과학기술부장관이 인정하는 학교에서 이용 또는 미용에 관한 학과를 졸업한 자
- 학점인정 등에 관한 법률 제8조에 따라 대학 또는 전문대학을 졸업한 자와 동등 이상의 학력이 있는 것으로 인정되어 같은 법 제9조에 따라 이용 또는 미용에 관한 학위를 취득한 자
- 고등학교 또는 이와 동등의 학력이 있다고 교육과학기술부장관이 인정하는 학교에서 이용 또는 미용에 관한 학과를 졸업한 자
- 교육과학기술부 장관이 인정하는 고등기술학교에서 1년 이상 이용 또는 미용에 관한 소정의 과정을 이수한 자
- 국가기술자격법에 의한 이용사 또는 미용사의 자격을 취득한 자

58 영업정지처분을 받고 그 영업정지기간 중 영업을 한 때에 대한 1차 위반시 행정처분은 영업장 폐쇄명령이다.

59 행정처분 1차 위반시 : 면허정지 3월, 2차 위반시 : 면허정지 6월, 3차 위반시 : 면허취소

60 보건복지부령이 정하는 특별한 사유가 있는 경우
- 질병 기타의 사유로 인하여 영업소에 나올 수 없는 자에 대하여 이용 또는 미용을 하는 경우
- 혼례 기타 의식에 참여하는 자에 대하여 그 의식 직전에 이용 또는 미용을 하는 경우
- 사회복지사업법 제2조제3호에 따른 사회복지시설에서 봉사활동으로 이용 또는 미용을 하는 경우
- 제1호 및 제2호 외에 특별한 사정이 있다고 시장·군수·구청장이 인정하는 경우

2011년 2회 정답

1	가	2	라	3	나	4	다	5	라	6	다	7	가	8	다	9	라	10	가
11	라	12	라	13	가	14	라	15	다	16	라	17	라	18	가	19	가	20	라
21	라	22	다	23	나	24	다	25	가	26	나	27	라	28	가	29	다	30	나
31	라	32	라	33	다	34	다	35	다	36	가	37	라	38	나	39	다	40	다
41	나	42	라	43	나	44	다	45	다	46	가	47	다	48	라	49	라	50	나
51	다	52	가	53	나	54	라	55	라	56	가	57	다	58	가	59	나	60	다

1 클렌징 밀크는 친수성 에멀젼으로 이중 세안이 필요없으며, 물에 쉽게 제거되어 비교적 피부자극이 적고, 피부 타입별 사용이 가능하다.

2 딥 클렌징은 인위적인 자극으로 각질층상부와 모공 내 각질과 피지를 제거하기 때문에 피부가 예민하거나 혈관이 확장된 부위는 사용을 피한다.

3 석고 마스크는 재료 및 성분에 따른 분류방법이다.

4 클렌징 동작 중 원을 그리는 동작은 얼굴의 위를 향할 때 힘을 주고 내릴 때는 힘을 빼준다.

5 과색소피부는 외적요인인 자외선에 의한 색소침착내용이다. 색소침착내용에는 기미, 주근깨, 잡티, 갈색반점, 검버섯 등이 있다.

6 림프매뉴얼테크닉을 적용하면 좋은 경우가 여드름피부, 민감성피부(주사, 홍반, 모세혈관 확장)이다.

7 화장수의 목적은 피부의 보습, pH조절, 잔여물의 제거 및 수렴, 청량감을 부여한다.

8 근대(19C) : 비누의 등장으로 위생과 피부관리에 대한 관심증가
중세시대 : 약초스팀법 개발
로마시대 : 최초로 콜드크림의 원형인 시원해지는 연고를 제조했다.

9 딥 클렌징의 종류에는 제품을 이용한 딥 클렌징에 스크럽, 고마쥐, A·H·A, 효소가 있고 기기를 이용한 딥 클렌징에 브러시 머신, 석션, 갈바닉이 있다.

10 피부유형을 결정짓는 요인으로 피부결 및 피부두께, 피부보습정도, 피지량, 모공크기, 혈액순환정도, 색소침착내역, 피부탄력도, 피부민감도, 피부주름, UV예민도가 있다.

11 매뉴얼테크닉의 효과는 신진대사의 원활, 세포영양 공급 및 간접재생을 돕고, 근육이완, 신경의 안정, 탄력없는 피부에 긴장감을 주고 부종 및 통증의 완화, 지방 감소에 도움이 된다.

12 레이저는 영구제모에 속한다.

13 진흙팩은 피지 흡지 능력이 뛰어나 지성피부에 적합하다.

14 나이, 직업, 결혼 유·무, 병력사항 및 부적용증, 기존관리방법, 고객이 현재 사용하는 화장품, 피부문제 발생 시기 및 생후부터 현재까지 진행상태 등을 기입한다.

15 림프드레나지 적용을 피해야 할 경우로 악성종양, 급성염증, 혈전증, 심장기능부진이 있다.

16 토너–아이크림–앰플–에센스–로션–크림의 순서대로 도포한다.

17 여성의 허벅지, 엉덩이, 복부에 주로 발생하는 '오렌지 껍질 모양'의 피부 변화를 말한다. 눈으

로 보거나 만져보았을 때 피부표면이 울퉁불퉁하며, 피부 깊숙이 결절이 만져지거나 피부가 탄력이 없고 다른 부위의 피부보다 차갑게 느껴지기도 한다. 미세혈관순환이나 림프순환의 장애에 의해 과도한 체액과 지방이 피하부위에 침투함으로써 지방과 결합조직이 치밀하게 변화한 것이 셀룰라이트이다.

18 머슬린천(왁싱 전용천)을 이용할 때는 털이 난 방향으로 밀착시켜서 털의 반대방향으로 빠르게 제거한다.

19 피부의 색은 개인별, 지역별, 인종별, 신체 부위별로 모두 다르며, 피부색은 멜라닌, 헤모글로빈, 카로틴의 색소에 의해 결정된다.

20 신장의 기능을 보조하고 체온을 유지하며, 피부의 약산성도를 유지(pH5.5)하는 기능을 가지고 있다.

21 기저층으로부터 계속적으로 재생되어 유극층, 과립층, 투명층, 각질층으로 이동과정 후에 사세포로 떨어지는 과정을 각화과정이라 한다. 각질형성세포의 주기는 약 28±3일이다.

22 표피와 피하지방층 사이에 위치하고 피부의 대부분을 차지하고 있는 진피는 경계가 확실하지 않은 유두층과 망상층으로 구분되며, 교원섬유, 탄력섬유, 무정형의 기질 등의 구성물질로 되어 있다. 또한 한선, 피지선, 모발, 감각세포, 혈관 등의 피부의 부속기관을 가지고 있다.

23 환경적인 요소에 의한 노화현상으로 외적요인에 의해 내인성 노화가 가속화되기도 한다. 주로 자외선에 의한 노화이므로 광노화라고 한다. 햇빛, 추위, 바람, 공해, 스모그 등이 원인이 된다.

24 광선을 많이 받는 얼굴, 팔, 손등, 목 뒤 등에 불규칙한 색소침착 및 색소질환이 나타난다. 비교적 굵고 깊은 주름이며, 내인성 노화에 비하여 일찍부터 관찰된다.

25 N.M.F(Natural Moistuizing Factor, 천연보습인자) : 친수성 성분으로 각질층의 수분보습량을 조절하는 물질을 총칭. 아미노산 : 약 40%, PCA : 약 12%, 젖산 : 약 12%, 요소 : 약 7% 등

26 기저층에 위치하고 있는 신경세포와 연결되어 촉각을 감지하는 세포로 작용한다.

27 인체 내 노폐물(수분)과 폐기물(아미노산)은 정맥(하수도)을 통해 배농되고, 정맥의 기능이 떨어질 경우 림프를 통해 배농되어진다. 그러나 이러한 물질들이 정맥과 림프순환에 문제가 발생하여 밖으로 배설되지 못하고 정체되어 피하지방층에 쌓인 결과물을 셀룰라이트라 하며, 주로 허벅지, 무릎안쪽, 팔바깥쪽, 배 등에 발생한다.

28 간의 기능으로는 양분의 전환과 저장, 포도당을 글리코겐 형태로 저장 후 필요 시 다시 포도당으로 전환하는 기능이 있으며 그 밖에도 담즙 생성 등 500여 가지의 역할을 하는 소화기 장기이다.

29 세포막을 통과하는 물질이동 중 수동이동에 해당하는 것은 확산, 삼투, 여과이며, 능동이동으로는 NA^+-K^+ 펌프, 식세포, 음세포, 토세포작용이 있다.

30 신경계는 크게 중추신경계와 말초신경계로 나누는데 중추신경계는 다시 뇌와 척수로 나뉘고 말초신경계는 체성신경계와 자율신경계로 나누어진다.

31 배부(등)근육으로는 승모근, 광배근, 견갑거근 등이 속하며 비복근은 종아리 근육에 속한다.

32 골격의 기능에는 조혈기능이 있으며, 적골수에서 혈액세포를 생산한다.

33 다리의 혈액순환에 이상이 생겨서 정맥혈관이 늘어져 다리에 푸르거나 검붉은 색 혈관이 꽈리처럼 부풀어 다리 피부를 통해 튀어나오는 일종의 혈관기형이다. 여성이 남성에 비해 더 생기기 쉽고, 장기간 서서 일하는 사람도 위험도가 높다.

35 파라핀기는 고형의 파라핀을 녹이는 기기로 파라핀의 뛰어난 보습력을 이용하여 건성, 노화피부, 손, 발 등 다양한 신체부위에 사용할 수 있다.

36 크로마테라피라고도 하며 가시광선을 이용한 미용기기로, 색상별로 인체에 적용시 다른 효과를 보인다. 적용시에 주위가 어두워야하며 클렌징 후에 실시하는 것을 원칙으로 한다. 노란색은 후에 실시하는 것을 원칙으로 한다. 노란색은 소화기계 기능강화, 보라색은 림프계 활성화, 초록색은 신경안정 및 신체 평형유지 효과가 있다.

37 전류는 도선을 따라 전지의 (+)→(-)극 쪽으로 흐른다.

38 프리마톨은 피부 타입에 따라 회전속도를 다르게 적용하는데, 건성과 민감성피부에는 자극을 부여할 수 있으므로 정상피부보다 낮은 200~250rpm/min으로 적용한다.(*rpm : 1분 동안 브러시의 회전속도)

39 피부미용기기는 크게 전기가 흐르는 기기와 흐르지 않는 기기로 나눌 수 있다. 전기가 흐르는 기기 사용시 특히 주의를 요하는데, 피부질환이나 심장질환환자, 감염병이나 간질환자 등이 있으며 인공치아 및 몸 안에 금속이 들어 있는 경우에도 적용을 금한다.

40 초음파기기는 17,000~20,000Hz 이상의 가청음파를 이용한 피부미용기기로 온열효과, 물리적 효과, 화학적 효과를 가져오며 안면근육의 탄력 및 재생, 딥 클렌징 효과 등을 가져온다. 나머지는 피부분석에 사용하는 기기에 해당된다.

41 물리적 차단제 성분은 티타니움 디옥사이드와 징크옥사이드가 있으며, B의 성분은 화학적 차단제성분이다.

43 에센셜오일을 추출하는 방법은 수증기증류법, 압착법, 용제추출법이 있다. 대량의 오일을 추출하는 방법으로 수증기증류법이 가장 많이 애용되고 있다.

44 **기능성화장품**
- 미백에 도움을 주는 제품
- 주름개선에 도움을 주는 제품
- 피부를 곱게 태워주거나 자외선으로부터 피부를 보호하는데 도움을 주는 제품을 말한다.

45 샤워코롱은 1~3%의 농도를 가지며 퍼퓸(15~30%) 〉 오데퍼퓸(9~12%) 〉 오데토일렛(6~8%) 〉 오데코롱(3~5%) 〉 샤워코롱 순으로 분류한다.

46 팩/마스크는 피부에 피막을 형성시켜 일시적으로 피부를 외부와 차단시켜 수분증발을 억제하고, 유효성분의 침투를 목적으로 사용한다.

47 화장품은 안정성, 안전성, 사용성, 유효성의 4대 조건을 가진다.
① 안전성 : 피부에 사용했을 때 자극, 알러지, 독성 등이 없이 안전해야 한다.
② 안정성 : 화장품이 안정화되어 있어 변질, 변색, 변위, 미생물 오염 등이 없어야 한다.
③ 사용성 : 피부에 사용했을 때 발림성과 흡수성 등의 사용감이 좋아야 한다.
④ 유효성 : 피부에 적절한 보습, 노화억제, 자외선 차단, 미백, 색채, 세정 작용 등의 효과·효능이 좋아야 한다.

48 식중독 중에 치명률이 가장 높고 중독증상이 강하다.

49 무색, 무취의 가스이며 실내공기 오염의 지표이다.

50 법정 제2군 감염병 : 디프테리아, 백일해, 파상풍, 홍역, 유행성이하선염, 풍진, 폴리오, B형간염, 일본간염, 수두

51 D.P.T : 디프테리아, 백일해, 파상풍

52 훈증(熏蒸)은 식품에 살균가스나 증기를 뿌려 미생물과 해충을 죽이는 방법으로 화학적 소독방법이다.

53 환자의 배설물, 토사물, 객담소독시에는 크레졸 비누액 3%와 물 97% 비율로 혼합, 손소독시에는 1~2% 혼합

54 질병 발생의 3대 요소는 병인(병원체), 병원소(숙주), 환경이다.

55 소독약품은 구입이 저렴하고 용이, 살균력이 있으며, 독성이 없고 부식성, 표백성이 없어야 하며 용해성이 높을수록 좋다.

56 '미용업'은 손님의 얼굴·머리·피부 등을 손질하여 손님의 외모를 아름답게 꾸미는 영업을 말한다.

57 신고를 하지 아니하고 영업소의 소재지를 변경한 때의 1차 위반의 행정처분은 '영업장 폐쇄명령'이다.

58 이·미용업소에서 1회용 면도날은 손님 1인에 한하여 사용하여야 한다.

59 미용업 영업자는 매년 위생교육을 받아야 하며 1년에 3시간으로 한다.

60 미용사의 면허를 받은 자가 아니면 미용업을 개설하거나 그 업무에 종사할 수 없다. 단, 미용사의 감독을 받아 미용업무의 보조를 할 수 있다.

피부미용사필기시험

2011년 4회 정답

1	라	2	다	3	가	4	다	5	라	6	라	7	가	8	나	9	라	10	라
11	나	12	나	13	라	14	나	15	라	16	라	17	라	18	가	19	나	20	라
21	다	22	라	23	다	24	라	25	라	26	가	27	다	28	가	29	라	30	다
31	나	32	다	33	가	34	가	35	가	36	다	37	라	38	가	39	나	40	나
41	다	42	나	43	다	44	가	45	라	46	라	47	가	48	라	49	라	50	라
51	나	52	다	53	나	54	라	55	다	56	라	57	나	58	다	59	다	60	라

1 클렌징 로션(클렌징 밀크)는 친수성 에멀젼으로 이중세안이 필요없다. 비교적 피부자극이 적고, 물에 쉽게 제거된다.

2 피부의 pH 5.5의 약산성 피지막이 세균의 침입에 대한 보호작용을 한다(박테리아 성장을 억제한다).

3 지성 피부와 여드름 피부는 피지와 각질을 정리해 줄 수 있는 각질 제거를 실시 후 보습 및 항균의 효과가 있는 성분이 함유된 제품사용. 건성피부는 주 1회 정도의 딥 클렌징을 하고, 딥 클렌징 후는 진정 및 유·수분을 공급한다.

4 A·H·A는 화학적 딥 클렌징으로 과일 및 채소에서 자연적으로 발생하는 천연산이다.

6 감염의 우려가 있으므로 제모 후 자극을 주는 행위는 금하며, 24시간 내 수영장 출입을 삼간다.

7 요법을 행할 때는 식사 전이거나 식사 후 1시간 이후에 하는 것이 좋다.

8 머드는 노폐물 배출, 피지제거, 진정효과, 피부수축작요, 혈액순환, 수분균형 유지 등의 효과가 있어 지성, 여드름 피부에 좋다.

9 매뉴얼테크닉의 기본동작 6가지

① 쓰다듬기(경찰, effeurage)
② 문지르기(강찰, friction)
③ 주므르기(유연, petrissage)
④ 두들리기(고타, tapotment, tapping)
⑤ 떨기(진동, vibration)
⑥ 집어주기(꼬집기, Dr.jacquet)

10 매뉴얼테크닉은 피지와 땀의 분비를 촉진시켜 피부신진대사를 원활하게 하고, 혈액순환을 촉진시켜 세포영양공급 및 간접재생을 돕는다. 자율신경계를 조절하여 신경의 안정을 돕고, 경직되고 긴장된 근육을 이완한다. 늘어진 피부에 탄력성 부여, 부종 및 통증을 완화시켜주는 효과가 있다.

11 팩 사용시 주의사항

① 팩의 적정시간은 제품에 따라 다르나 일반적으로 10~20분 정도의 범위이다.
② 도포 및 제거 시 눈, 코, 입에 들어가지 않도록 주의한다.
③ 피부타입과 상태에 따라 팩의 종류를 선택한다.
④ 계절 및 주변 실내온도를 고려한다.
⑤ 팩을 사용하기 전 알레르기 유무를 확인한다.
⑥ 팩을 하는 동안 아이패드를 적용한다.

12 미용업(피부)에 해당하는 업무는 의료기기나 의약품을 사용하지 아니하는 피부상태분석, 피부관리, 제모, 눈썹손질이다. 레이저필링은 의학적 업무영역이다.

13 림프드레니지를 적용하면 좋은 경우

모든 순환을 촉진시키는 관리 후 여드름피부, 민감성피부, 부종, 셀룰라이트, 눈물주머니

14 매뉴얼테크닉 시술 시 주의사항
① 근육방향으로 실시하며, 부위별 실시 시 심장과 먼 쪽부터 시행한다.
② 압력은 고객에게 맞는 압력으로 너무 강하지 않게 실시한다.
③ 속도의 경우 이완을 위해서는 빠르지 않게 실시한다.
④ 동작마다 일정한 리듬을 유지하면서 정확한 속도를 지키도록 한다.
⑤ 피부타입과 피부의 필요성에 따라 동작을 조절한다.

15 피부상담 시 나이, 직업, 결혼 유·무, 라이프스타일, 병력사항 및 부적용증, 기존관리방법, 피부문제점 발생시기 및 발생 후부터 현재까지 진행상태 등을 체크하여야 한다. 고객에게 올바른 홈케어를 처방할 수는 있으나 제품판매의 목적은 아니다.

16 매뉴얼테크닉을 적용하지 말아야 할 시기
① 상처가 있을 경우
② 피부질환 시
③ 피부가 극도로 예민할 경우
④ 임신 시 주의를 요하는 경우
⑤ 수술한 지 1년이 안된 경우는 의사와 상의 후 실시
⑥ 종양 및 암의 경우 의사와 상의 후 실시

17 온습포의 목적 및 주의사항
① 모공을 확장시켜 화장품의 잔여물 및 노폐물을 제거한다.
② 혈관을 확장시켜 혈액순환 촉진효과가 있다.
③ 관리자의 판단에 따라 클렌징 후, 마사지 후, 딥 클렌징 후 적용할 수 있다.
④ 예민피부나 혈관확장 피부, 화농성 여드름 피부의 경우는 주의한다.
⑤ 온습포 사용 시 피부가 예민해지지 않도록 주의한다.

냉습포의 목적 및 주의사항
① 모공을 수축시켜 수렴효과가 있다.
② 혈관을 수축하여 피부를 긴장시키며, 진정효과가 있다.
③ 팩관리 후 적용할 수 있다.
④ 잦은 사용과 자극적으로 닦아낼 경우 오히려 피부민감을 초래할 수 있다.

18 건성피부의 관리방법
① 부족한 유·수분을 채워주기 위한 화장품과 수분증발을 억제할 수 있는 화장품 및 관리가 필요하다.
② 클렌징의 경우 탈지력이 강한 제품은 피하고, 밀크 타입 및 유분기가 있는 크림 타입, 오일 타입을 선택한다.
③ 유·수분 공급 및 수분증발 억제 기능이 있는 토너, 에센스, 크림 등을 선택한다.
④ 잦은 딥 클렌징은 피부 유·수분을 빼앗기 때문에 주1회 정도로 사용하고, 딥 클렌징 후에는 진정 및 유·수분 공급 팩을 해 준다.
⑤ 세라마이드, 호호바오일, 아보카도 오일, 알로에베라, 히아루론산 등의 성분이 함유된 제품을 사용한다.

19 교원섬유 또는 아교섬유라고 하는 콜라겐은 진피의 대부분을 차지하는 아교질로 이루어진 섬유상 단백질이고 피부의 저수지 역할을 할 정도로 피부 내의 자연보습을 담당하는 요소이다.

20 피지선은 진피의 망상층에 위치하고 일 1~2g 분비되며, 모낭에 연결되어 입구를 같이 한다. 손바닥과 발바닥을 제외한 전신에 분포되어 있으며, 이중 얼굴부분에 가장 많이 분포되어 있다.

21 탄수화물은 생물체의 에너지원으로 사용되는 등 생물체에 꼭 필요한 화합물로서 곡류 및 감자류의 주성분이며 당질이라고도 불리는데 포도당의 형태로 혈액 중에 함유되어 있다. 과잉섭취 시 지방으로 전환되어 피하조직에 축척되며, 일부는 간과 근육에 글리코겐 형태로 저장된다.

22 천연보습인자(NMF(natural moisturizing factor))는 친수성 성분으로 각질층의 수분보습량을 조절하는 물질의 총칭이다. 구성인자–아미노산(약 40%) 〉 P.C.A(피롤리돈카복실산)(약 12%) 〉 젖산(약 12%) 〉 요소(약 7%)

23 pH(소수이온농도지수)는 수용액 중의 수소이온 농도를 지수함수로 표시한 것으로 피부의 pH는 피지선 및 한선(땀샘)에서 분비되는 피지막에 의해 생성되며 약산성의 특성을 보인다.

24
- 표피의 구성세포 : 각질형성세포, 멜라닌세포, 랑게스한스세포, 머켈세포
- 진피의 구성세포 : 섬유아세포, 비만세포, 대식세포

25 **피부의 주요기능**
보호작용, 체온조절작용, 분비·배설작용, 감각·지각작용, 흡수작용, 비타민D의 합성작용, 호흡작용

26 기저층은 표피의 가장 아래층에 위치해 있으며 단층의 원주상 세포로 배열되어 있으며 케라티노사이트(각질형성세포)와 멜라노사이트(색소형성세포)가 4 : 1~10 : 1의 비율로 구성되어 있다.

27 **건강한 손톱의 조건**
- 전, 후, 좌, 우로 둥근 아치모양을 이루고 있고 표면은 매끈하다.
- 투명하고 연한 핑크색을 띈다.
- 손톱의 유연함을 유지하기 위해 적당한 수분(7~12%)를 함유한다.
- 세균 등의 침범이 되어있지 않아야 한다.

28 골격의 형태에는 장골, 단골, 편평골, 불규칙골, 함기골, 종자골이 있다. 장골은 길이가 긴뼈로 주로 상지골(팔뼈)과 하지골(다리뼈)을 구성하고 있다.

29 우리 몸에는 중추신경계를 중심으로 말단으로 뻗어져 있는 말초신경계가 있다. 말초신경계에는 체성신경계와 자율신경계가 있는데, 이 중 척수신경이라 함은 체성신경계에 해당하며 척수에서 시작하여 온 몸 각 부위에 연결된 신경다발들을 말한다. 총 31쌍으로 경신경 9쌍, 흉신경 12쌍, 요신경 5쌍, 천골신경 5쌍, 미골신경 1쌍이 있다.

30 근육의 작용은 근원섬유인 액틴과 마이오신의 결합에 의해 수축과 이완의 반복현상을 뜻한다.

31 혈액은 크게 55%를 차지하는 혈장과 45%를 차지하는 혈구로 나눌 수 있다. 혈구성분의 종류에는 크게 적혈구, 백혈구, 혈소판이 있는데 이중 백혈구는 우리 신체내에 외부로부터 침입한 세균 등을 세포내로 끌어들여 섭식하는 중요한 방어체계이다. 적혈구에 비해 크기가 크며 부정형의 유핵세포이다.

32 신장은 우리 몸속의 혈액을 맑은 상태로 유지시키기 위해 노폐물을 걸러주는 중요한 기관이다. 오줌이 생성되는 과정은 여과, 재흡수, 분비를 통해 이루어지며, 배설되는 경로는 사구체-보먼주머니-세뇨관-신우-수뇨관-방광-요도의 순이다.

33 순환계에는 전신을 순회하는 체순환과, 폐를 거쳐 가스교환이 이루어지는 폐순환이 있다. 폐순환은 우심실-폐동맥-폐-폐정맥-좌심방으로 최종 유입되며, 이산화탄소의 양은 적어지고 산소가 많아지는 특징을 갖고 있다.

34 소화에는 물리적인 작용을 하는 기계적인 소화와 소화효소에 의해 가수분해되는 화학적인 소화가 있다. 저작운동을 통해 분해되어진 음식들이 위로 이동되어 위산에 의해 더 작은 형태로 나누어지고, 이 음식들은 소장으로 이동되어진다. 소장은 탄수화물, 단백질, 지방을 소화시킬 수 있는 췌장액 등 모든 소화효소가 모이는 장소로 양분의 모든 흡수가 이루어지는 장소이다. 소장에서 흡수되고 남은 음식찌꺼기들은 대장으로 넘어가 남은 수분들이 흡수된다.

35 오존(O_3)의 주목적은 박테리아를 제거하는 살균, 소독기능이다. 맨얼굴일 경우에만 적용하며 제품이 도포되어 있는 경우에는 오존을 적용하지 않는다. 스팀을 키지 않고 오존만을 켰을 경우에는 아무 효과도 없다. 그러므로 오존이 함께 장착되어 있는 경우 스팀이 나오기 전 오존을 미리 켜 두어야 한다는 것은 맞지 않다.

36 전동브러시의 적용을 금지해야 하는 피부는 예민성 여드름, 예민 피부, 모세혈관 확장피부, 각종 피부질환이 있다. 전동브러시의 원리는 마찰

을 이용한 관리이기 때문에 전동브러시를 직각으로 유지한 상태에서 털끝 부위만을 이용하여 가볍게 원을 그리며 이동하여 사용하는 것이다.

37
- W(와트) : 전기의 힘을 뜻한다.
- A(암페어) : 기호로는 I로 표기하며 금속에서 원자핵의 바깥쪽을 돌고 있는 전자가 자신의 원자핵을 이탈하여 자유전자가 되어 흐르는데 이를 전류라 한다.
- Ω(옴) : 저항을 뜻하며 전기의 흐름을 방해하는 힘을 뜻하며 기호로는 R로 표기한다.
- Hz(헤르츠란) : 1초 동안 진동하는 횟수를 진동수 또는 주파수라고 하며 Hz로 표기한다.

38

음극(−)효과	양극(+)효과
알칼리반응	산성반응
모공세정	수렴작용
혈액공급 증가	혈액공급 감소
조직을 부드럽게 함	조직을 단단하게 함
신경자극	신경진정
음이온 물질침투에 사용	양이온 물질침투에 사용

39 사용방법 및 주의사항

① 고객의 피부가 깨끗한 피부상태에서 측정한다.
② 어두운 상태에서 측정이 정확하므로 빛을 차단시키거나 후드를 덮고 사용한다.
③ 램프 사용 중 관리사나 고객이 직접 램프를 보지 않도록 한다.
④ 고객과 5~6cm 정도 떨어져서 측정한다.
⑤ 눈을 보호하기 위해 반드시 아이패드를 하도록 한다.

40 진공흡입기의 효과

① 딥 클렌징 효과로 피지제거 및 각질제거를 도와준다.
② 조직사이에 정체된 노폐물 배출을 증가시켜 림프순환을 촉진시킨다.
③ 혈액순환의 개선을 해준다.
④ 피부를 자극하여 한선, 피지선의 기능을 활성화시킨다.

41 캐리어오일은 베이스오일이라고도 불리우며 휘발성이 없으며, 에센셜오일의 흡수를 높이는 역할을 하기 위해 사용되어진다. 호호바오일, 알몬드오일, 그레이프시드 오일 등 식물성 오일을 사용한다.

42 기능성화장품은 화장품 중에서 약리학적 효능과 효과를 강조한 제품으로 그 범주는 보건복지부에서 아래와 같이 정한다.

① 피부의 미백에 도움을 주는 제품
② 피부의 주름개선에 도움을 주는 제품
③ 피부를 곱게 태워주거나 자외선으로부터 피부를 보호하는데 도움을 주는 제품

43 ① 계면활성제의 둥근모양의 앞머리는 친수기를 막대모양은 친유기 부분이다.
② 계면활성제의 피부자극도는 양이온성 〉 음이온성 〉 양쪽성 〉 비이온성의 순으로 감소한다.

종류	특징
음이온 계면활성제	물에 용해될 때 친수기 부분이 음이온을 나타낸다. 예) 비누, 샴푸, 세정제, 에멀젼의 유화제
양이온 계면활성제	물에 용해될 때 친수기 부분이 양이온을 나타내며 역성비누라고도 한다. 예) 살균제, 정전기 방지제, 헤어린스
양(쪽)성 계면활성제	알칼리에서는 음이온으로, 산성에서는 양이온을 나타낸다. 예) 베이비 샴푸
비이온 계면활성제	–물에 용해될 때 이온화되지 않는다. –자극성이 적어 기초화장품에 주로 사용된다.

44 안료는 유기용제에 녹지 않는 것으로 무기안료와 유기안료로 나누어진다. 안료는 커버력이 염료에 비해 우수하며 그 종류에 따라 빛, 산, 물, 알칼리에 대한 정도가 다 다르다.

45 팩을 제거방법에 의한 분류로 나누면 필오프(떼어내는 타입), 워시오프(물로 씻어내는 타입), 티슈오프(티슈로 닦아내는 타입), 시트타입(시트를 올려놓는 타입)으로 구분된다.

46 네일에나멜은 네일화장품으로 분류하며 손톱에 색상과 광택을 부여하는 기능을 한다. 베이스 코트, 탑 코트, 에나멜 리무버, 큐티클 오일을 포함한다.

47 립스틱 제조는 우선 고형 납을 녹이고, 라놀린과 바셀린을 혼합한 후 색소를 가하여 충분히 섞은 후에 온도를 약간 낮추어 굳혀서 만든다(여기에 향료를 첨가한다).

48 국민보건향상과 증진에 관한 모든 사항을 통괄하는 행정적 수단을 말한다. 보건사회부장관 통괄하에 행해지는 것으로서 보건 향상의 계몽, 국민영양 개선과 식품위생, 환경위생과 산업보건, 학교보건과 구강위생, 의료사업의 감독지도, 보건에 관한 실험·검사, 감염병예방과 진료, 모자보건, 그 밖의 국민보건향상에 관한 일체의 업무를 관장하는 행위를 말한다.

49 파상풍 면역 글로불린이나 항독소를 정맥주사하여 독소를 순화한다. 파상풍 항독소는 과민반응검사 후 투여한다. 페니실린(penicillin), 세팔로스포(cephalosporin), 메트로니다졸(metroni-dazole) 등의 항생제를 투여한다. 상처를 철저히 소독하고 괴사조직을 제거하며, 근육이완제 투여, 호흡관리 등의 적절한 증상완화치료가 필요하다.

50 공기의 물리적 성상인 기온, 기습, 기류 및 복사열 등은 인체의 체온조절에 중요한 영향을 미치는 온열요소로 각각 독립적이기보다는 상호 복합적으로 작용한다.

51 B형 간염은 제2군 감염병이며, 예방접종대상이다.

52 1,800ml/70%=1,260ml
1,260ml(무수알코올)+540ml(물)=1,800ml

53 소독약의 희석배수 : 석탄산 계수=석탄산의 희석배수

54 빠른 소독의 효과가 있어야 한다.

55 강한 살균력과 독성으로 단백질을 응고시킨다. 점막이나 금속기구를 소독하는 데는 적당하지 않다. 피부 소독 시에는 0.1%(1/1000) 용액을 이용하여 소독한다.

56 ① 300만원 이하의 과태료
- 규정을 위반하여 폐업신고를 하지 아니한 자
- 보고를 하지 아니하거나 관계공무원의 출입, 검사 기타 조치를 거부, 방해 또는 기피한 자
- 개선명령에 위반한 자

57 위생서비스 수준의 평가는 매년 2년마다 실시하고 있으며, 보건복지부장관이 정하여 공중위생영업의 종류 또는 제21조의 규정에 의한 위생관리 등급별로 평가주기를 달리할 수 있다. 최우수업소는 녹색등급이며, 우수업소는 황색등급, 일반관리대상 업소는 백색등급이다.

58 이용기구는 소독한 기구와 소독하지 않은 것으로 분리하여 보관하고 1회용 면도날은 손님 1인에 한하여 사용한다.

59 ① 고등학교, 전문대학 또는 이와 동등 이상의 학력이 있다고 교육과학기술부장관이 인정하는 학교에서 이용 또는 미용에 관한 학과를 졸업한 자
② 학점인정 등에 관한 법률 제8조에 따라 대학 또는 전문대학을 졸업한 자와 동등 이상의 학력이 있는 것으로 인정되어 같은 법 제9조에 따라 이용 또는 미용에 관한 학위를 취득한 자
③ 교육과학기술부장관이 인정하는 고등기술학교에서 1년 이상 이용 또는 미용에 관한 소정의 과정을 이수한 자
④ 국가기술자격법에 의한 이용사 또는 미용사의 자격을 취득한 자

② 200만원 이하의 과태료
–미용업소의 위생관리 의무를 지키지 아니한 자
–영업소외의 장소에서 이용 또는 미용업무를 행한 자
–위생교육을 받지 아니한 자

60 영업 허가 취소와 영업장 폐쇄명령을 받고도 계속 영업을 할 경우 간판 및 기타 영업표지물 제거, 위법한 영업소임을 알리는 게시물 등을 부착, 영업소를 위하여 필수불가결한 기구 또는 시설물을 사용할 수 없게 봉인을 하며 영업소의 업주에 대한 손해배상청구는 불법한 원인으로 발생한 손해를 피해자 이외이 자가 전보하는 것이기 때문에 해당하지 않는다.

피부미용사필기시험

2011년 5회 정답

1	가	2	나	3	가	4	나	5	라	6	가	7	라	8	다	9	가	10	라
11	나	12	다	13	라	14	라	15	가	16	나	17	나	18	다	19	나	20	다
21	라	22	가	23	라	24	다	25	가	26	다	27	가	28	다	29	가	30	다
31	라	32	라	33	가	34	라	35	가	36	다	37	라	38	가	39	다	40	라
41	다	42	가	43	라	44	가	45	가	46	나	47	라	48	다	49	나	50	다
51	나	52	가	53	가	54	나	55	라	56	라	57	다	58	다	59	가	60	나

1
- 클렌징 로션–친수성 에멀젼으로 이중세안이 필요없다. 모든 피부타입에 가능하다.
- 클렌징 워터–화장수 타입으로 청량감과 산뜻함을 부여하며, 가벼운 화장을 제거하는데 적합하다.
- 클렌징 젤–친수성 타입으로 청량감과 산뜻함을 부여하며 지성, 여드름 피부에 적당하다.

2 딥 클렌징의 목적 : 각질층 상부와 모공 내 각질과 피지를 인위적으로 제거하여 정상적인 피부 신진대사를 도와주는 과정이다.

3 콜라겐 벨벳 마스크 효능은 피부의 수화능력을 증진시켜 주름을 완화시키며, 탄력을 강화한다.

4 효소는 물리적 동작이 가해지지 않고 그대로 발라두고 적절한 환경(온도, 습도)을 만들어 두면 효소가 작용하여 효과가 나타나기 때문에 완전하게 건조시키지 않는다. 가, 라는 물리적 딥 클렌징 중 고마쥐에 대한 설명이다.

5 임신부인 경우 임신 시 주의를 요하는 경우는 적용하지 말아야 한다.

6 피부유형별로 딥 클렌징의 적용회수는 달라진다.
- 건성피부 : 주1회, 잦은 딥 클렌징은 피부 유·수분을 빼앗기 때문이다.
- 지성피부 : 주 2~3회, 피지와 각질을 정리한다.
- 정상피부 : 피부상태에 따라 적절한 시기에 적용한다.

7 조선시대의 「규합총서」에는 미용습관, 미용재료, 미용도구, 미용법 등이 기재되었고 청결미가 중요시되어 개인전용 세안을 위해 아침에 대여섯 개의 대야를 두어 세정하였고, 조선말기에는 개인전용 대야를 사용하는 대신 대중목욕탕이 생겼다.

8 다. 건성피부의 화장품 적용 목적으로 부족한 유·수분을 채우기 위한 화장품과 수분증발을 억제할 수 있는 화장품 적용이 필요하다.

9
- 지성피부 : 피지를 조절해주고, 두꺼운 각질을 제거해주며, 수분을 보충하는 제품을 적용한다.
- 복합성피부 : T존은 피지조절 및 항균작용이 있는 제품을 사용하고, U존은 유·수분 공급을 위한 차별화된 제품사용이 필요하다.
- 예민피부 : 알코올 함량이 낮고 진정성분이 함유되어 있는 화장품 사용
- 색소침착피부 : 미백성분(하이드로퀴논, 코직산 등)이 함유된 제품사용

10 생리 전이나 생리 중인 경우, 임신시 주의를 요하는 경우는 매뉴얼테크닉을 적용하지 말아야 한다.

11 여드름의 전문용어는 심상성좌창, 모낭에 생기는 만성 염증성 질환이다. 여드름의 발생은 모낭 내 각질비후, P.acne, 과도한 피지분비, 유전적인 원인이 있다.

12 피부관리순서는 문진법을 통한 상담→클렌징→피부분석→딥 클렌징→마사지→팩→마무리 순이다.

13 팩은 "Package"라는 말에서 유래되었으며, "포장하다", "둘러싸다"라는 뜻으로 피부에 피막을 형성하고 일시적으로 피부를 유연하게 하여 유효성분의 침투를 용이하게 한다.

14 냉습포 사용목적은 모공을 수축시켜 수렴효과가 있고 혈관을 수축하여 피부를 긴장시키며 진정효과가 있다.

15 제모의 종류 : ① 영구제모–전기분해요법, 전기응고법, 레이저 관리 ② 일시적제모–면도기, 핀셋(족집게), 왁스 화학탈모제를 이용한다.

16 노폐물, 독소배출과 과잉수분 및 부종완화, 면역기능강화, 통증을 가라앉히는 진정효과, 자율신경계를 조절, 저항력을 증진, 항상성 유지를 도와준다.

17 제모부위는 습기와 유분기를 없애기 위해 파우더를 발라주며, 왁스를 제거할 때는 털의 반대 방향으로 빠르게 제거한다. 제모 후에는 진정용 제품을 도포한다.

18
- 주무르기(Petrissage) : 근육에 싸여있는 노폐물제거, 혈액순환 촉진, 근육의 뭉친 부분을 이완, 근육의 탄력을 준다.
- 집어주기(Dr.Jacquet) : 혈액순환촉진 및 탄력, 피지선을 자극하여 모공 내 피지배출, 결체조직을 단련한다.
- 문지르기(Friction) : 주름이 생기기 쉬운 곳, 결체조직이 강한 부위, 피지선·한선 분비촉진, 혈액순환 촉진, 긴장된 근육을 이완시킨다.
- 두드리기(Tapotment) : 혈액순환촉진, 신진대사 작용 높임, 근육위축 예방한다.

19 모피질은 피질세포와 세포간 결합물질로 구성, 각화된 케라틴질의 피질세포가 모발의 길이 방향으로 비교적 규칙적으로 나열된 세포집단으로서 모발의 대부분 85~90%를 차지하고 있다. 탄력, 강도, 감촉, 질감, 색상(멜라닌 색소함량에 따라)을 좌우하며 모발의 성질을 나타내는 가장 중요한 부분이다.

20 표피의 최하부에 있으며 진피에 있는 모세혈관을 통해서 영양을 보충한다. 세포분열을 일으켜 표피세포를 신생, 증식하는 특징이 있으며 멜라닌 색소들의 매개로 자외선으로부터 피부를 보호한다.

21 피부는 일반 감각 기관의 말단 수용기를 간직하고 있는데 1㎠ 면적의 피부에 촉각점 25개, 온각점 1~2개, 압각점 6~8개, 냉각점 12개, 통각점 100~200개가 존재한다.

22
- UV A : 320nm~400nm
- UV B : 290nm~320nm
- UV C : 200nm~290nm

23 NMF(Natural Moisturizing Factor : 천연보습인자)는 우리 몸속에서 생산되는 천연의 수분을 말하며 각질세포 속에서 스폰지와 같은 역할을 하며 수분을 유지하고 있는 보습성분이다. 구성성분으로는 아미노산 약 40%, P.C.A 약 12%, 젖산 약 12%, 요소 약 7% 등이 있다.

24 인간 스스로 체내에서 합성할 수 없어 반드시 식품으로 섭취가 이루어져야 하는 필수지방산이 있다. 그 중 동물성 지방은 포화지방을 식물성 지방은 불포화지방산을 많이 함유하고 있는데, 포화도가 높은 동물성 지방은 체내 콜레스테롤을 높이는 작용을 해 고혈압, 심장병 등을 일으킬 확률이 높다.

25 땀샘(한선)은 크게 대한선(Apocrine Gland)과 소한선(Eccrine Gland)으로 나눌 수 있다. 소한선은 태어날 때부터 피부에 생기는 것으로 남자가 여자에 비해 많으며 입술, 음부, 손톱, 발톱을 제외한 전신의 피부에 분포되어 있다.

26 B세포(B cell)는 면역반응에서 외부로부터 침입하는 항원에 대항하는 면역글로불린(Ig) 항체를 만들어내기 때문에 체액면역의 핵심적인 세포이다. 항원에 자극을 받으면 2차 림프기관에서 항체를 분비하는 형질 세포(plasma cell)로 분

화한다. 인간에서는 혈중 림프구의 약 10~15%, 림프절내 림프구의 약 20~25%, 비장내 림프구의 약 40~45%가 B세포이다.

27 피부표면의 가장 이상적인 pH는 4.5~5.5의 약산성 상태이며 세균이나 박테리아 등으로부터 피부를 보호해준다.

28 세포내 소기관 중에 하나이며 단백질 분해 효소를 가지고 있어 일반적으로 오래되어서 못쓰게 된 세포소기관을 파괴하거나 외부에서 탐식작용을 통해 먹어 치운 바이러스나 박테리아같은 외부 물질 등을 파괴하는 데 사용된다.

29 타액에 존재하는 아밀라아제로서 침샘에서 분비되고 사람과 초식동물에서 발견된다. 전분을 분해하여 텍스트린과 맥아당을 만든다. 아밀라제 종류로는 프티알린(ptyalin)뿐만 아니라, 췌액에 있는 아밀로프신(amylopsin)이 있다.

30 한 뉴런의 축삭돌기 말단과 다음 뉴런의 수상돌기 사이의 연접부위, 뇌에는 수천억개의 신경세포(뉴런)가 존재하며 서로 복잡한 신경망으로 구성되어 있다. 뉴런의 축삭돌기 끝에는 '시냅스 소포'라 불리는 여러개의 주머니가 있는데, 그 속에 화학물질(신경전달물질)이 들어있어 다른 세포로 전이될 때 이 주머니가 터지면서 화학물질이 인접세포의 수상돌기로 이동하게 된다.

31 골격의 기능에는 체중을 지지하는 지지기능, 내부장기를 보호하는 보호기능, 인체를 움직이게 하는 운동기능, 칼슘, 인과 같은 무기질을 저장하는 저장기능, 혈액세포를 생성하는 조혈기능이 있다.

32 골격의 형태에는 크게 뼈대근인 골격근, 평활근인 내장근, 심장근 3가지로 분류할 수 있다. 후두근은 전두근과 후두근 사이의 모상건막을 고정시키고, 두피와 이마를 후면으로 잡아 당겨 공포와 놀라면 눈을 크게 떠지게 하는 두개골뼈에 해당한다.

33 림프배액이 유입되는 경로를 보면 왼쪽과 오른쪽이 다르게 나타난다. 왼쪽 림프관은 신체의 80%를 흡수하고 하체 전체와 골반, 복부 흉곽 일부 그리고 목과 왼팔에서 올라온 림프액을 모두 흡수하여 좌측쇄골하정맥을 통해 최종 심장으로 유입된다. 오른쪽 림프관은 오른쪽 머리와 목, 가슴 일부 그리고 오른팔의 림프액만을 모아 우측쇄골하정맥을 통해 심장으로 유입된다.

34 임신 2개월째에 모체는 식욕부진과 졸음 등 본격적인 입덧을 느끼는 시기이며, 태아의 변화로는 신경세포의 80%가 만들어지고, 심장이 생겨 심장동소리를 들을 수 있게 된다. 팔, 다리, 손가락이 구분되는 시기이기도 하다. 보기의 설명은 임신 4개월째에 나타나는 변화로서, 모체는 양수가 늘어나면서 유방이 커지고 배가 나오게 된다. 입덧이 끝나는 시기이기도 하며, 태아는 이때 내장기관 뿐만 아니라 눈썹, 속눈썹, 손톱, 발톱, 머리카락 등이 생성되며 남녀 구분이 뚜렷해진다. 혈액순환이 순조롭게 이뤄지고 손발, 등뼈, 근육 등이 현저하게 성장한다.

35 고주파 직접법의 사용방법 및 주의사항

① 클렌징 후 무알코올 토너를 바른 후 마른 거즈를 얹는다.
② 선택한 유리봉을 홀더에 끼운다.
③ 전류의 세기가 '0'에 있는지 확인한다.
④ 시술부위에 전극봉을 얹은 후 세기를 서서히 올린다.
⑤ 심하게 압을 주지 말고 미끄러지듯이 원을 그리며 마사지하듯 움직인다.
⑥ 피부타입에 따라 5~7분으로 10분 이상 넘지 않도록 한다.
⑦ 시술 후 피부에서 전류의 세기를 '0'으로 낮춘 후 전원을 끈다.
⑧사용한 유리봉은 알코올로 소독한다.

36 우드램프의 특징

- 피부질환을 진단하려는 목적으로 의료분야에서 처음 사용되었다.
- 365mm 이상의 자외선을 이용한 피부분석기로 육안으로 판단하기 어려운 피부의 결점이 자외선을 받게 되면 다양한 색과 광택으로 나타나므로 피부상태분석을 관찰할 수 있다.

37 갈바닉기기의 종류 : 극성의 밀어내고 끌어당기는 성질을 이용하여 피부에 유효성분을 침투시키는 이온토포레시스와 피지나 노폐물을 제거하는 디스인크러스테이션으로 사용된다.

38 이온토포레시스의 관리

① 양이온 제품은 양극봉을 이용하고, 음이온 제품은 음극봉을 이용하여 피부속으로 유효성분을 침투시키는 영양관리방법으로 이온영동법, 이온도입법이라 한다.

② 이온화된 물질을 피부조직에 침투시키는 방법이다.

39 안면진공흡입기에 대한 부적용증

모세혈관 확장피부, 멍든 부위, 탄력이 심하게 떨어지는 피부, 정맥류 이상, 심한 염증성 여드름 피부, 일광화상된 피부

40 피부 깊숙이 진동음파에 의해 모공속 피지, 각질제거로 인한 피부정화 효과가 되는 딥 클렌징의 물리적 효과가 있다.

부적용증

피부에 상처가 있는 사람, 인공 심박기, 악성종양환자는 절대 금한다. 성형수술후 3개월이 경과되지 않은 사람에게도 금한다.

41 에센셜오일은 100% 순수한 것을 사용하며, 극히 소량일지라도 피부에 자극이 될 수 있으므로 희석하여 사용하며 원액을 그대로 피부에 사용하지 않는다.

42 화장품 법 제2조1항에 의거하면, 화장품이라 함은 인체를 청결·미화하여 매력을 더하고 용모를 밝게 변화시키거나 피부·모발의 건강을 유지 또는 증진하기 위하여 인체에 사용되는 물품으로서 인체에 대한 작용이 경미한 것을 말한다.

43 알부틴은 대표적으로 미백에 도움을 주는 성분으로, 월귤나무잎 또는 딸기 등에서 추출하며 비타민C에 비해 비교적 안정적이어서 널리 사용되고 있다.

44 무기안료는 광물성안료라고도 하며, 유기안료에 비해 일반적으로 불투명하여 내광성·내열성이 좋고 유기용제에 녹지 않는다. 유기안료는 무기안료에 비해서 빛깔이 선명하고 착색력이 크며, 임의의 색조를 얻을 수 있으나 내광성·내열성이 떨어지고, 유기용제에 녹아 색이 번지는 것이 많다.

45 화장품법 제10조(화장품의 기재사항)

기재사항은 제품의 명칭, 제조업자 및 제조판매업자의 상호 및 주소, 화장품 전 성분, 내용물의 용량 또는 중량, 제조번호, 사용기한 또는 개봉 후 사용기간, 가격, 기능성 화장품의 경우 '기능성화장품'이라는 글자, 사용할 때의 주의사항, 그 밖에 보건복지부령으로 정하는 사항을 기재해야 한다.

46 가. 디스퍼(Disper)는 고속으로 회전하는 봉의 끝에 터번형의 회전날개를 부착시킨 형태이다.

나. 호모믹서(Homo-mixer)는 터번형의 회전날개를 원통으로 둘러싼 구조이며, 통속에서 대류가 일어나도록 고안되었으므로 균일하고 미세한 유화입자가 만들어진다.

다. 프로펠러믹서(Propeller mixer)는 플로펠러가 회전봉의 양 끝에 부착된 구조를 이루고 있으며 분산력이 약해 예비적인 분산과 유화에 쓰인다.

라. 호모게나이저(homogenizer)는 시료(sample)에 고압을 가하여 작은 구멍으로 분출시키는 강력한 연속식 유화기이다.

47 화장수(Toner)는 피부의 보습, pH조절, 잔여물 제거 및 수렴·청량감을 부여하는 역할을 한다.

48 건강보균자는 감염에 의한 임상증상이 전혀 없고, 건강인과 다름없어 외관상 아주 건강해 보이므로 관리가 가장 어렵다.

49 수도법에 의한 우리나라 식수의 수질기준

- 일반 미생물 : 1ml/당 100 이하
- 대장균 : 50ml에서 검출되지 않을 것

50 미생물 번식의 증식환경에 영양을 주는 것은 온도, 산소, 수분, 수소이온농도, 삼투압, 영양원이 있다.

51 비타민 종류 및 결핍시의 증상
- 비타민A : 야맹증(간유, 버터, 계란, 유색채소)
- 비타민B : B1–각기병(쌀의 배아, 두부 등)/ B2–구순구각염, 설염(우유, 쇠고기, 간 등)
- 비타민C : 괴혈병(야채, 과실)
- 비타민D : 구루병(간유)
- 비타민E : 항 노화(두부, 유색 채소)

52 소독제의 조건
- 강한 살균력
- 저렴하고 간편한 구입
- 소독 대상물에 변화가 없는 것
- 독성이 없어야 하며 안전성이 있을 것
- 부식성 및 표백성이 없어야 하고 침투력이 강할 것
- 사용법이 간편할 것
- 소독 후 즉시 효과를 나타낼 것

53
- 희석 : 용품이나 기구 등을 일차적으로 소독하는데 많이 쓰이며, 어떤 물질의 농도를 다른 물질을 가함으로써 낮게 하는 것
- 방부 : 물질이 썩거나 삭아서 변질되는 것을 막는 것
- 정균 : 세균의 발육, 증식을 억제하는 작용
- 여과 : 거름종이나 여과기를 써서 액체 속에 들어 있는 침전물이나 입자를 걸러내는 일

54 소독약의 살균기전 중 석탄산, 승홍, 알코올, 크레졸, 포르말린은 단백질의 응고작용에 영향을 미친다.

55 바이러스는 인체에 질병을 일으키는 병원체 중 가장 크기가 작고 전자현미경으로 관찰이 가능하다. 살아있는 세포내에서만 증식하며 핵산은 DNA나 RNA 하나만 가지고 있기 때문에 DNA 바이러스 또는 RNA 바이러스로 분류한다.

56 청문 실시사항
- 이용사 및 미용사의 면허취소
- 면허정지
- 공중위생영업의 정지
- 일부 시설의 사용중지
- 영업소 폐쇄명령 등의 처분 때에는 청문을 실시하여야 한다.

57 미용업 영업자의 준수사항
- 점빼기·귓불뚫기·쌍커풀 수술·문신·박피술 그 밖에 이와 유사한 의료행위를 하여서는 아니된다.
- 피부미용을 위하여 약사법 규정에 의한 의약품 또는 의료용구를 사용하여서는 아니된다.
- 미용기구 중 소독을 한 기구와 소독을 하지 아니한 기구는 각각 다른 용기에 넣어 보관하여야 한다.
- 1회용 면도날은 손님 1인에 한하여 사용하여야 한다.
- 업소 내에 미용업 신고증, 개설자의 면허증 원본 및 미용요금표를 게시하여야 한다.
- 영업장안의 조명도는 75룩스 이상이 되도록 유지하여야 한다.

58 영업자 지위 승계시 구비서류(가족관계의 등록 등에 관한 법률 제15조제1항에 따른 가족관계 증명서 및 상속인임을 증명할 수 있는 서류)
- 영업자 지위승계 신고서
- 가족관계증명서
- 상속자임을 증명할 수 있는 서류

59
- 1년 이하의 징역 또는 1천만원 이하의 벌금
- 영업신고를 하지 아니한 자
- 영업정지명령 또는 일부 시설의 사용중지명령을 받고도 그 기간 중에 영업을 하거나 그 시설을 사용한 자 또는 영업소 폐쇄명령을 받고도 계속하여 영업을 한 자

60 과태료 처분에 불복이 있는 자는 그 처분의 고지를 받은 날로부터 30일 이내에 처분권자에게 이의를 제기할 수 있다. 기간내에 이의를 제기하지 아니하고 과태료를 납부하지 아니한 때에는 지방세체납처분의 예에 의하여 이를 징수한다.

성 명

종목 및 등급	수검자 기재 문제지의 형별을 마킹	문제지 형별	Ⓐ Ⓑ Ⓒ Ⓓ

수 검 번 호							
⓪	⓪	⓪	⓪	⓪	⓪	⓪	⓪
①	①	①	①	①	①	①	①
②	②	②	②	②	②	②	②
③	③	③	③	③	③	③	③
④	④	④	④	④	④	④	④
⑤	⑤	⑤	⑤	⑤	⑤	⑤	⑤
⑥	⑥	⑥	⑥	⑥	⑥	⑥	⑥
⑦	⑦	⑦	⑦	⑦	⑦	⑦	⑦
⑧	⑧	⑧	⑧	⑧	⑧	⑧	⑧
⑨	⑨	⑨	⑨	⑨	⑨	⑨	⑨

감독위원 확인

국가기술자격검정답안지

1 ㉮ ㉯ ㉰ ㉱	11 ㉮ ㉯ ㉰ ㉱	21 ㉮ ㉯ ㉰ ㉱	31 ㉮ ㉯ ㉰ ㉱	41 ㉮ ㉯ ㉰ ㉱	51 ㉮ ㉯ ㉰ ㉱
2 ㉮ ㉯ ㉰ ㉱	12 ㉮ ㉯ ㉰ ㉱	22 ㉮ ㉯ ㉰ ㉱	32 ㉮ ㉯ ㉰ ㉱	42 ㉮ ㉯ ㉰ ㉱	52 ㉮ ㉯ ㉰ ㉱
3 ㉮ ㉯ ㉰ ㉱	13 ㉮ ㉯ ㉰ ㉱	23 ㉮ ㉯ ㉰ ㉱	33 ㉮ ㉯ ㉰ ㉱	43 ㉮ ㉯ ㉰ ㉱	53 ㉮ ㉯ ㉰ ㉱
4 ㉮ ㉯ ㉰ ㉱	14 ㉮ ㉯ ㉰ ㉱	24 ㉮ ㉯ ㉰ ㉱	34 ㉮ ㉯ ㉰ ㉱	44 ㉮ ㉯ ㉰ ㉱	54 ㉮ ㉯ ㉰ ㉱
5 ㉮ ㉯ ㉰ ㉱	15 ㉮ ㉯ ㉰ ㉱	25 ㉮ ㉯ ㉰ ㉱	35 ㉮ ㉯ ㉰ ㉱	45 ㉮ ㉯ ㉰ ㉱	55 ㉮ ㉯ ㉰ ㉱
6 ㉮ ㉯ ㉰ ㉱	16 ㉮ ㉯ ㉰ ㉱	26 ㉮ ㉯ ㉰ ㉱	36 ㉮ ㉯ ㉰ ㉱	46 ㉮ ㉯ ㉰ ㉱	56 ㉮ ㉯ ㉰ ㉱
7 ㉮ ㉯ ㉰ ㉱	17 ㉮ ㉯ ㉰ ㉱	27 ㉮ ㉯ ㉰ ㉱	37 ㉮ ㉯ ㉰ ㉱	47 ㉮ ㉯ ㉰ ㉱	57 ㉮ ㉯ ㉰ ㉱
8 ㉮ ㉯ ㉰ ㉱	18 ㉮ ㉯ ㉰ ㉱	28 ㉮ ㉯ ㉰ ㉱	38 ㉮ ㉯ ㉰ ㉱	48 ㉮ ㉯ ㉰ ㉱	58 ㉮ ㉯ ㉰ ㉱
9 ㉮ ㉯ ㉰ ㉱	19 ㉮ ㉯ ㉰ ㉱	29 ㉮ ㉯ ㉰ ㉱	39 ㉮ ㉯ ㉰ ㉱	49 ㉮ ㉯ ㉰ ㉱	59 ㉮ ㉯ ㉰ ㉱
10 ㉮ ㉯ ㉰ ㉱	20 ㉮ ㉯ ㉰ ㉱	30 ㉮ ㉯ ㉰ ㉱	40 ㉮ ㉯ ㉰ ㉱	50 ㉮ ㉯ ㉰ ㉱	60 ㉮ ㉯ ㉰ ㉱

수검자 유의사항

1. 답안지 작성 필기구는 반드시 흑백 싸인펜을 사용하여야 함
2. 문제지 유형을 답안지 형별 표기란에 정확히 표기하지 않은 답안지는 무효 처리됨
3. 수검번호는 상단에 아라비아 숫자로 기재하고 하단에 정확히 표기하여야 함
4. 감독위원 날인이 없는 답안지는 무효 처리 됨
5. 답안지는 시험종료 후 일체 공개하지 않음

주의	올바른 표기 : ● 잘못된 표기 : ⊘⊗○◍

성 명

종목 및 등급 | 수검자 기재 문제지의 형별을 마킹 | 문제지 형별 | Ⓐ Ⓑ Ⓒ Ⓓ

국가기술자격검정답안지

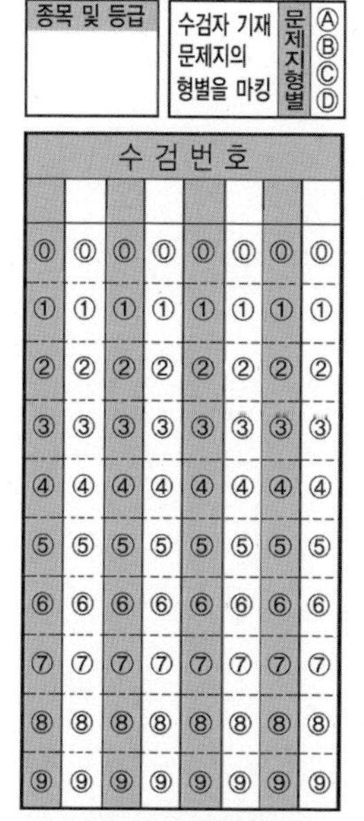

수 검 번 호							
⓪	⓪	⓪	⓪	⓪	⓪	⓪	⓪
①	①	①	①	①	①	①	①
②	②	②	②	②	②	②	②
③	③	③	③	③	③	③	③
④	④	④	④	④	④	④	④
⑤	⑤	⑤	⑤	⑤	⑤	⑤	⑤
⑥	⑥	⑥	⑥	⑥	⑥	⑥	⑥
⑦	⑦	⑦	⑦	⑦	⑦	⑦	⑦
⑧	⑧	⑧	⑧	⑧	⑧	⑧	⑧
⑨	⑨	⑨	⑨	⑨	⑨	⑨	⑨

감독위원 확인

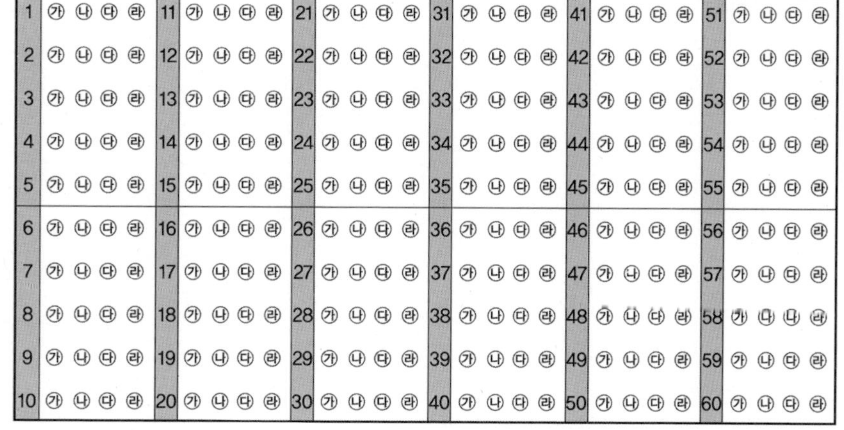

1 ㉮ ㉯ ㉰ ㉱	11 ㉮ ㉯ ㉰ ㉱	21 ㉮ ㉯ ㉰ ㉱	31 ㉮ ㉯ ㉰ ㉱	41 ㉮ ㉯ ㉰ ㉱	51 ㉮ ㉯ ㉰ ㉱
2 ㉮ ㉯ ㉰ ㉱	12 ㉮ ㉯ ㉰ ㉱	22 ㉮ ㉯ ㉰ ㉱	32 ㉮ ㉯ ㉰ ㉱	42 ㉮ ㉯ ㉰ ㉱	52 ㉮ ㉯ ㉰ ㉱
3 ㉮ ㉯ ㉰ ㉱	13 ㉮ ㉯ ㉰ ㉱	23 ㉮ ㉯ ㉰ ㉱	33 ㉮ ㉯ ㉰ ㉱	43 ㉮ ㉯ ㉰ ㉱	53 ㉮ ㉯ ㉰ ㉱
4 ㉮ ㉯ ㉰ ㉱	14 ㉮ ㉯ ㉰ ㉱	24 ㉮ ㉯ ㉰ ㉱	34 ㉮ ㉯ ㉰ ㉱	44 ㉮ ㉯ ㉰ ㉱	54 ㉮ ㉯ ㉰ ㉱
5 ㉮ ㉯ ㉰ ㉱	15 ㉮ ㉯ ㉰ ㉱	25 ㉮ ㉯ ㉰ ㉱	35 ㉮ ㉯ ㉰ ㉱	45 ㉮ ㉯ ㉰ ㉱	55 ㉮ ㉯ ㉰ ㉱
6 ㉮ ㉯ ㉰ ㉱	16 ㉮ ㉯ ㉰ ㉱	26 ㉮ ㉯ ㉰ ㉱	36 ㉮ ㉯ ㉰ ㉱	46 ㉮ ㉯ ㉰ ㉱	56 ㉮ ㉯ ㉰ ㉱
7 ㉮ ㉯ ㉰ ㉱	17 ㉮ ㉯ ㉰ ㉱	27 ㉮ ㉯ ㉰ ㉱	37 ㉮ ㉯ ㉰ ㉱	47 ㉮ ㉯ ㉰ ㉱	57 ㉮ ㉯ ㉰ ㉱
8 ㉮ ㉯ ㉰ ㉱	18 ㉮ ㉯ ㉰ ㉱	28 ㉮ ㉯ ㉰ ㉱	38 ㉮ ㉯ ㉰ ㉱	48 ㉮ ㉯ ㉰ ㉱	58 ㉮ ㉯ ㉰ ㉱
9 ㉮ ㉯ ㉰ ㉱	19 ㉮ ㉯ ㉰ ㉱	29 ㉮ ㉯ ㉰ ㉱	39 ㉮ ㉯ ㉰ ㉱	49 ㉮ ㉯ ㉰ ㉱	59 ㉮ ㉯ ㉰ ㉱
10 ㉮ ㉯ ㉰ ㉱	20 ㉮ ㉯ ㉰ ㉱	30 ㉮ ㉯ ㉰ ㉱	40 ㉮ ㉯ ㉰ ㉱	50 ㉮ ㉯ ㉰ ㉱	60 ㉮ ㉯ ㉰ ㉱

영림미디어

수검자 유의사항

1. 답안지 작성 필기구는 반드시 흑백 싸인펜을 사용하여야 함
2. 문제지 유형을 답안지 형별 표기란에 정확히 표기하지 않은 답안지는 무효 처리됨
3. 수검번호는 상단에 아라비아 숫자로 기재하고 하단에 정확히 표기하여야 함
4. 감독위원 날인이 없는 답안지는 무효 처리 됨
5. 답안지는 시험종료 후 일체 공개하지 않음

주의 | 올바른 표기 : ● 잘못된 표기 : ⊘⊗○◍

성	명

종목 및 등급	수검자 기재 문제지의 형별을 마킹	문제지 형별	Ⓐ Ⓑ Ⓒ Ⓓ

수검번호							
⓪	⓪	⓪	⓪	⓪	⓪	⓪	⓪
①	①	①	①	①	①	①	①
②	②	②	②	②	②	②	②
③	③	③	③	③	③	③	③
④	④	④	④	④	④	④	④
⑤	⑤	⑤	⑤	⑤	⑤	⑤	⑤
⑥	⑥	⑥	⑥	⑥	⑥	⑥	⑥
⑦	⑦	⑦	⑦	⑦	⑦	⑦	⑦
⑧	⑧	⑧	⑧	⑧	⑧	⑧	⑧
⑨	⑨	⑨	⑨	⑨	⑨	⑨	⑨

감독위원 확인

국가기술자격검정답안지

1	㉮ ㉯ ㉰ ㉱	11	㉮ ㉯ ㉰ ㉱	21	㉮ ㉯ ㉰ ㉱	31	㉮ ㉯ ㉰ ㉱	41	㉮ ㉯ ㉰ ㉱	51	㉮ ㉯ ㉰ ㉱
2	㉮ ㉯ ㉰ ㉱	12	㉮ ㉯ ㉰ ㉱	22	㉮ ㉯ ㉰ ㉱	32	㉮ ㉯ ㉰ ㉱	42	㉮ ㉯ ㉰ ㉱	52	㉮ ㉯ ㉰ ㉱
3	㉮ ㉯ ㉰ ㉱	13	㉮ ㉯ ㉰ ㉱	23	㉮ ㉯ ㉰ ㉱	33	㉮ ㉯ ㉰ ㉱	43	㉮ ㉯ ㉰ ㉱	53	㉮ ㉯ ㉰ ㉱
4	㉮ ㉯ ㉰ ㉱	14	㉮ ㉯ ㉰ ㉱	24	㉮ ㉯ ㉰ ㉱	34	㉮ ㉯ ㉰ ㉱	44	㉮ ㉯ ㉰ ㉱	54	㉮ ㉯ ㉰ ㉱
5	㉮ ㉯ ㉰ ㉱	15	㉮ ㉯ ㉰ ㉱	25	㉮ ㉯ ㉰ ㉱	35	㉮ ㉯ ㉰ ㉱	45	㉮ ㉯ ㉰ ㉱	55	㉮ ㉯ ㉰ ㉱
6	㉮ ㉯ ㉰ ㉱	16	㉮ ㉯ ㉰ ㉱	26	㉮ ㉯ ㉰ ㉱	36	㉮ ㉯ ㉰ ㉱	46	㉮ ㉯ ㉰ ㉱	56	㉮ ㉯ ㉰ ㉱
7	㉮ ㉯ ㉰ ㉱	17	㉮ ㉯ ㉰ ㉱	27	㉮ ㉯ ㉰ ㉱	37	㉮ ㉯ ㉰ ㉱	47	㉮ ㉯ ㉰ ㉱	57	㉮ ㉯ ㉰ ㉱
8	㉮ ㉯ ㉰ ㉱	18	㉮ ㉯ ㉰ ㉱	28	㉮ ㉯ ㉰ ㉱	38	㉮ ㉯ ㉰ ㉱	48	㉮ ㉯ ㉰ ㉱	58	㉮ ㉯ ㉰ ㉱
9	㉮ ㉯ ㉰ ㉱	19	㉮ ㉯ ㉰ ㉱	29	㉮ ㉯ ㉰ ㉱	39	㉮ ㉯ ㉰ ㉱	49	㉮ ㉯ ㉰ ㉱	59	㉮ ㉯ ㉰ ㉱
10	㉮ ㉯ ㉰ ㉱	20	㉮ ㉯ ㉰ ㉱	30	㉮ ㉯ ㉰ ㉱	40	㉮ ㉯ ㉰ ㉱	50	㉮ ㉯ ㉰ ㉱	60	㉮ ㉯ ㉰ ㉱

영림미디어

수검자 유의사항

1. 답안지 작성 필기구는 반드시 흑백 싸인펜을 사용하여야 함
2. 문제지 유형을 답안지 형별 표기란에 정확히 표기하지 않은 답안지는 무효 처리됨
3. 수검번호는 상단에 아라비아 숫자로 기재하고 하단에 정확히 표기하여야 함
4. 감독위원 날인이 없는 답안지는 무효 처리 됨
5. 답안지는 시험종료 후 일체 공개하지 않음

주의	올바른 표기 : ● 잘못된 표기 :

자르는선

자르는선

성	명

종목 및 등급	수검자 기재 문제지의 형별을 마킹	문제지 형별	Ⓐ Ⓑ Ⓒ Ⓓ

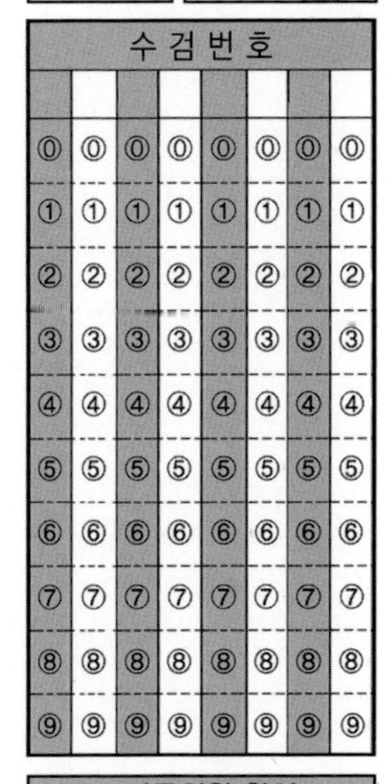

감독위원 확인

국가기술자격검정답안지

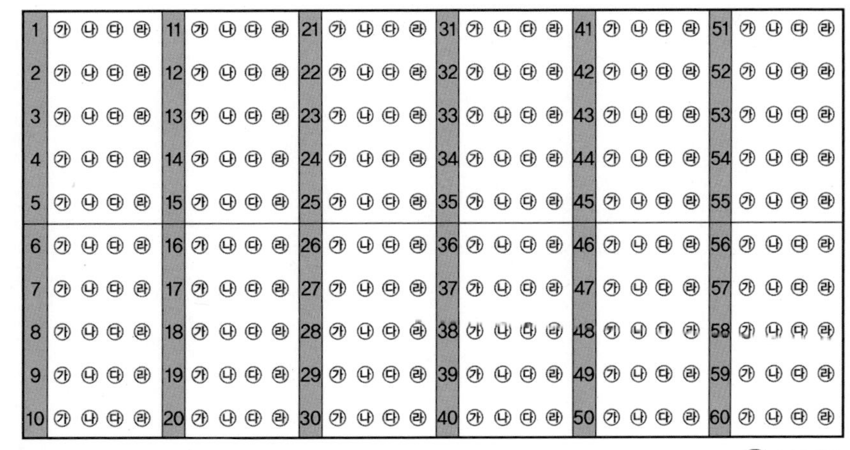

영림미디어

수검자 유의사항

1. 답안지 작성 필기구는 반드시 흑백 싸인펜을 사용하여야 함
2. 문제지 유형을 답안지 형별 표기란에 정확히 표기하지 않은 답안지는 무효 처리됨
3. 수검번호는 상단에 아라비아 숫자로 기재하고 하단에 정확히 표기하여야 함
4. 감독위원 날인이 없는 답안지는 무효 처리 됨
5. 답안지는 시험종료 후 일체 공개하지 않음

주의	올바른 표기 : ● 잘못된 표기 :

성　　　명

종목 및 등급	수검자 기재 문제지의 형별을 마킹	문제지형별	Ⓐ Ⓑ Ⓒ Ⓓ

수검번호							
⓪	⓪	⓪	⓪	⓪	⓪	⓪	⓪
①	①	①	①	①	①	①	①
②	②	②	②	②	②	②	②
③	③	③	③	③	③	③	③
④	④	④	④	④	④	④	④
⑤	⑤	⑤	⑤	⑤	⑤	⑤	⑤
⑥	⑥	⑥	⑥	⑥	⑥	⑥	⑥
⑦	⑦	⑦	⑦	⑦	⑦	⑦	⑦
⑧	⑧	⑧	⑧	⑧	⑧	⑧	⑧
⑨	⑨	⑨	⑨	⑨	⑨	⑨	⑨

감독위원 확인

국가기술자격검정답안지

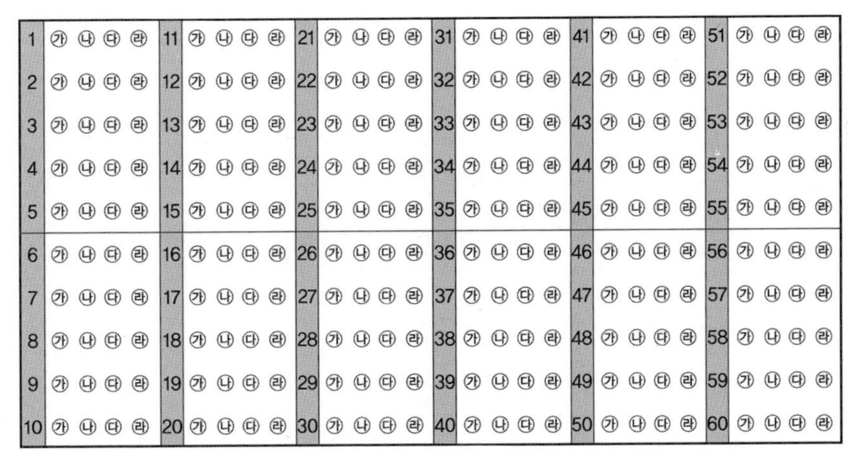

1	㉮ ㉯ ㉰ ㉱	11	㉮ ㉯ ㉰ ㉱	21	㉮ ㉯ ㉰ ㉱	31	㉮ ㉯ ㉰ ㉱	41	㉮ ㉯ ㉰ ㉱	51	㉮ ㉯ ㉰ ㉱
2	㉮ ㉯ ㉰ ㉱	12	㉮ ㉯ ㉰ ㉱	22	㉮ ㉯ ㉰ ㉱	32	㉮ ㉯ ㉰ ㉱	42	㉮ ㉯ ㉰ ㉱	52	㉮ ㉯ ㉰ ㉱
3	㉮ ㉯ ㉰ ㉱	13	㉮ ㉯ ㉰ ㉱	23	㉮ ㉯ ㉰ ㉱	33	㉮ ㉯ ㉰ ㉱	43	㉮ ㉯ ㉰ ㉱	53	㉮ ㉯ ㉰ ㉱
4	㉮ ㉯ ㉰ ㉱	14	㉮ ㉯ ㉰ ㉱	24	㉮ ㉯ ㉰ ㉱	34	㉮ ㉯ ㉰ ㉱	44	㉮ ㉯ ㉰ ㉱	54	㉮ ㉯ ㉰ ㉱
5	㉮ ㉯ ㉰ ㉱	15	㉮ ㉯ ㉰ ㉱	25	㉮ ㉯ ㉰ ㉱	35	㉮ ㉯ ㉰ ㉱	45	㉮ ㉯ ㉰ ㉱	55	㉮ ㉯ ㉰ ㉱
6	㉮ ㉯ ㉰ ㉱	16	㉮ ㉯ ㉰ ㉱	26	㉮ ㉯ ㉰ ㉱	36	㉮ ㉯ ㉰ ㉱	46	㉮ ㉯ ㉰ ㉱	56	㉮ ㉯ ㉰ ㉱
7	㉮ ㉯ ㉰ ㉱	17	㉮ ㉯ ㉰ ㉱	27	㉮ ㉯ ㉰ ㉱	37	㉮ ㉯ ㉰ ㉱	47	㉮ ㉯ ㉰ ㉱	57	㉮ ㉯ ㉰ ㉱
8	㉮ ㉯ ㉰ ㉱	18	㉮ ㉯ ㉰ ㉱	28	㉮ ㉯ ㉰ ㉱	38	㉮ ㉯ ㉰ ㉱	48	㉮ ㉯ ㉰ ㉱	58	㉮ ㉯ ㉰ ㉱
9	㉮ ㉯ ㉰ ㉱	19	㉮ ㉯ ㉰ ㉱	29	㉮ ㉯ ㉰ ㉱	39	㉮ ㉯ ㉰ ㉱	49	㉮ ㉯ ㉰ ㉱	59	㉮ ㉯ ㉰ ㉱
10	㉮ ㉯ ㉰ ㉱	20	㉮ ㉯ ㉰ ㉱	30	㉮ ㉯ ㉰ ㉱	40	㉮ ㉯ ㉰ ㉱	50	㉮ ㉯ ㉰ ㉱	60	㉮ ㉯ ㉰ ㉱

영림미디어

수검자 유의사항

1. 답안지 작성 필기구는 반드시 흑백 싸인펜을 사용하여야 함
2. 문제지 유형을 답안지 형별 표기란에 정확히 표기하지 않은 답안지는 무효 처리됨
3. 수검번호는 상단에 아라비아 숫자로 기재하고 하단에 정확히 표기하여야 함
4. 감독위원 날인이 없는 답안지는 무효 처리 됨
5. 답안지는 시험종료 후 일체 공개하지 않음

주의	올바른 표기 : ● 잘못된 표기 : ⓥ⊗○◍

자르는선 

자르는선 

성　　　명

종목 및 등급	수검자 기재 문제지의 형별을 마킹	문제지형별	Ⓐ Ⓑ Ⓒ Ⓓ

수검번호							
⓪	⓪	⓪	⓪	⓪	⓪	⓪	⓪
①	①	①	①	①	①	①	①
②	②	②	②	②	②	②	②
③	③	③	③	③	③	③	③
④	④	④	④	④	④	④	④
⑤	⑤	⑤	⑤	⑤	⑤	⑤	⑤
⑥	⑥	⑥	⑥	⑥	⑥	⑥	⑥
⑦	⑦	⑦	⑦	⑦	⑦	⑦	⑦
⑧	⑧	⑧	⑧	⑧	⑧	⑧	⑧
⑨	⑨	⑨	⑨	⑨	⑨	⑨	⑨

감독위원 확인

국가기술자격검정답안지

1	㉮ ㉯ ㉰ ㉱	11	㉮ ㉯ ㉰ ㉱	21	㉮ ㉯ ㉰ ㉱	31	㉮ ㉯ ㉰ ㉱	41	㉮ ㉯ ㉰ ㉱	51	㉮ ㉯ ㉰ ㉱
2	㉮ ㉯ ㉰ ㉱	12	㉮ ㉯ ㉰ ㉱	22	㉮ ㉯ ㉰ ㉱	32	㉮ ㉯ ㉰ ㉱	42	㉮ ㉯ ㉰ ㉱	52	㉮ ㉯ ㉰ ㉱
3	㉮ ㉯ ㉰ ㉱	13	㉮ ㉯ ㉰ ㉱	23	㉮ ㉯ ㉰ ㉱	33	㉮ ㉯ ㉰ ㉱	43	㉮ ㉯ ㉰ ㉱	53	㉮ ㉯ ㉰ ㉱
4	㉮ ㉯ ㉰ ㉱	14	㉮ ㉯ ㉰ ㉱	24	㉮ ㉯ ㉰ ㉱	34	㉮ ㉯ ㉰ ㉱	44	㉮ ㉯ ㉰ ㉱	54	㉮ ㉯ ㉰ ㉱
5	㉮ ㉯ ㉰ ㉱	15	㉮ ㉯ ㉰ ㉱	25	㉮ ㉯ ㉰ ㉱	35	㉮ ㉯ ㉰ ㉱	45	㉮ ㉯ ㉰ ㉱	55	㉮ ㉯ ㉰ ㉱
6	㉮ ㉯ ㉰ ㉱	16	㉮ ㉯ ㉰ ㉱	26	㉮ ㉯ ㉰ ㉱	36	㉮ ㉯ ㉰ ㉱	46	㉮ ㉯ ㉰ ㉱	56	㉮ ㉯ ㉰ ㉱
7	㉮ ㉯ ㉰ ㉱	17	㉮ ㉯ ㉰ ㉱	27	㉮ ㉯ ㉰ ㉱	37	㉮ ㉯ ㉰ ㉱	47	㉮ ㉯ ㉰ ㉱	57	㉮ ㉯ ㉰ ㉱
8	㉮ ㉯ ㉰ ㉱	18	㉮ ㉯ ㉰ ㉱	28	㉮ ㉯ ㉰ ㉱	38	㉮ ㉯ ㉰ ㉱	48	㉮ ㉯ ㉰ ㉱	58	㉮ ㉯ ㉰ ㉱
9	㉮ ㉯ ㉰ ㉱	19	㉮ ㉯ ㉰ ㉱	29	㉮ ㉯ ㉰ ㉱	39	㉮ ㉯ ㉰ ㉱	49	㉮ ㉯ ㉰ ㉱	59	㉮ ㉯ ㉰ ㉱
10	㉮ ㉯ ㉰ ㉱	20	㉮ ㉯ ㉰ ㉱	30	㉮ ㉯ ㉰ ㉱	40	㉮ ㉯ ㉰ ㉱	50	㉮ ㉯ ㉰ ㉱	60	㉮ ㉯ ㉰ ㉱

영림미디어

수검자 유의사항

1. 답안지 작성 필기구는 반드시 흑백 싸인펜을 사용하여야 함
2. 문제지 유형을 답안지 형별 표기란에 정확히 표기하지 않은 답안지는 무효 처리됨
3. 수검번호는 상단에 아라비아 숫자로 기재하고 하단에 정확히 표기하여야 함
4. 감독위원 날인이 없는 답안지는 무효 처리 됨
5. 답안지는 시험종료 후 일체 공개하지 않음

주의	올바른 표기 : ● 잘못된 표기 : ⓥ⊗○◍